Digui,digui...

Coordinació del projecte: **Joan Melcion**
Autors dels exercicis i dels textos: **Marta Mas, Joan Melcion, Rosa Rosanas**
                                                        i M. Helena Vergés
Assessorament metodològic: **Miquel Llobera**
Assessorament lingüístic: **Joan Solà**
Assessorament sociolingüístic: **Francesc Vallverdú**
Guió literari de *L'avinguda del Desastre*   **Josep M. Benet i Jornet**
Ajudantes de redacció   **Glòria Ortega, Victorina Rius i Isabel Soler**
Disseny gràfic, il·lustracions i portada   **Javier Aceytuno**

Aquest curs s'ha elaborat sobre la base
dels treballs del Projecte "Langues Vivantes"
del Consell d'Europa i amb la col·laboració
dels seus experts.

Digui, digui... **és un curs multimèdia promogut**
per la Direcció General de Política Lingüística.

Departament de Cultura
Generalitat de Catalunya

1.ª edició, setembre de 1985
Tiratge: 5.000 exemplars
© Departament de Cultura de la Generalitat de Catalunya
© per a aquesta edició: Publicacions de l'Abadia de Montserrat
ISBN: 84-7202-723-6
Dipòsit legal: B. 31476-1985-I
Imprès a SIRVEN GRÀFIC, S.A. - Gran Via, 754 - 08013 Barcelona

LLIBRE DE L'AUTOAPRENENT / 1

AGRAÏMENTS

L'elaboració del curs **Digui, digui...** ha estat possible gràcies a la col·laboració de moltes persones, entitats i institucions. Amb la recança de saber que ens oblidarem del nom de molts dels qui ens han ajudat durant la realització dels materials didàctics, volem agrair a Anthony Fitzpatrick, Glòria Galera, Omar Generelli, M. José Hernández, Josep Massot i Muntaner, Quim Monzó, Miquel Pujadó, Joaquim Rafel, Joan Veny i John L.M. Trim la seva participació en algun moment del procés de confecció d'aquests treballs. I també a Francesc Català-Roca, Pere Dàvila, Isidre Gutiérrez, Camilla Hamm, Francesc de B. Moll, Carles Rexach, Pep Torruella i a les entitats Bar Ciuvi, Brasserie Flo, C.N. Montjuïc, C.N. Sant Jordi, empresa Lucta, Simago i Tallers Lomas les facilitats que ens han donat per a la realització i reproducció de material fotogràfic. Finalment, expressem la nostra gratitud a totes aquelles persones, especialment als professors i alumnes que han experimentat la primera part del curs, que amb el seu estímul, les seves observacions i els seus consells ens han ajudat a dur a terme el projecte.

Els autors

Ara fa un any, en presentar els materials del primer curs Digui, digui..., expressàvem la nostra voluntat d'oferir el màxim de possibilitats a tots aquells que volen aprendre el català.

Alhora, ens congratulàvem de l'àmplia col·laboració que havia aconseguit el projecte de part dels professors, ajuntaments i mitjans de comunicació, als quals renovem el nostre agraïment, així com, de manera especial, al Projecte «Langues Vivantes» del Consell d'Europa, que n'ha estat assessor.

Efectivament, segons una enquesta efectuada a finals del curs 1984-85, prop de 200.000 persones han seguit el curs a Catalunya, més de la meitat de les quals han vist setmanalment els programes de televisió corresponents.

Això ha permès no tan sols millorar el nivell de coneixements de català, sinó també ampliar-ne l'ús, ja que 50.000 dels seguidors del curs declaren que, gràcies al Digui, digui..., usen bastant o molt més el català que l'any anterior.

Ara que presentem els materials corresponents al segon nivell del Digui, digui..., ho fem, doncs, convençuts de la seva eficàcia, en la qual confiàvem des del principi, i amb el desig d'eixamplar el nombre de seguidors del curs i, naturalment, de facilitar l'aprofundiment en el català per part d'aquells que ja dominen els continguts del nivell precedent.

Amb això estem segurs de prestar un servei notable a la normalització lingüística i a la comprensió i la convivència.

Joan Rigol i Roig
Conseller de Cultura de la
Generalitat de Catalunya

V

COMPONENTES DEL CURSO

El curso **Digui, digui...** se compone de los siguientes materiales, distribuidos en dos niveles de treinta unidades didácticas cada uno:

— 60 programas de TV de quince minutos cada uno y su correspondiente versión comercial en vídeo.
— 60 programas de radio de quince minutos cada uno.
— 2 libros del alumno (uno por cada nivel).
— 2 libros de ejercicios (uno por nivel).
— 2 guías para el autoaprendizaje (una por nivel).
— 60 páginas de prensa para periódicos escritos en castellano y 60 para periódicos escritos en catalán.
— Cassettes con el material auditivo correspondiente a las unidades didácticas de cada nivel.

Como es lógico, todos estos materiales no pueden tener la misma aplicación ni se puede extraer de ellos el mismo rendimiento, según se utilicen dentro de un sistema convencional de aprendizaje, es decir, en una clase con un profesor, o en un sistema, más libre e individual, de autoaprendizaje. Sin duda alguna, un aprendizaje guiado y controlado por un profesor, o cuando menos por alguien que conozca suficientemente el catalán para orientarle y esclarecer sus dudas, resultará mucho más productivo y eficaz que un aprendizaje en régimen autodidáctico. Sin embargo, si no le es posible seguir un curso regular o prefiere aprender catalán por su cuenta, además de atender a las instrucciones de este libro, tenga en cuenta los siguientes consejos:

— Dedique un poco de tiempo cada día al curso. Es preferible que trabaje en él media hora diaria que dos o tres horas seguidas un solo día por semana. Es muy importante adquirir el hábito de la práctica diaria, aunque sea durante poco rato.
— Siempre que pueda, procure trabajar con otra persona, ya sea con alguien que también esté aprendiendo catalán, ya sea con alguien que conozca suficientemente esta lengua.
— Trate de utilizar todo lo que vaya aprendiendo en la primera ocasión que se le presente, aunque no esté seguro de no cometer errores. Estos mismos errores los irá corrigiendo con una práctica diaria, casi sin darse cuenta.
— Cuando un catalanoparlante se dirija a usted, pídale que le hable en catalán, aunque tenga que preguntarle de vez en cuando el significado de una palabra o de una frase. De esta manera le ayudará en su proceso de aprendizaje.
— Acostúmbrese a leer en catalán, incluso cuando se trate de textos escritos en versión bilingüe. Esta práctica tan sencilla le ayudará a enriquecer su vocabulario.
— Aparte de los programas del curso, siga otros programas de radio y televisión en catalán. Escoja el tipo de programas que sean más de su agrado y sígalos sin preocuparse por el aprendizaje. Gradual e inconscientemente irá adquiriendo capacidad de comprensión oral.
— Siempre que tenga alguna duda sobre lo que esté aprendiendo, consulte a alguien que domine el idioma o bien acuda a cualquiera de las aulas de la red multimedia. También podrá dirigir sus consulta a alguna de las emisoras de radio en las que se emite el curso.

"DIGUI, DIGUI... ", SEGUNDO NIVEL

Los materiales didácticos que componen **Digui, digui...** /2 van dirigidos de forma especial a todas aquellas personas que, habiendo completado satisfactoriamente la primera parte del curso (**Digui, digui...** /1), desean continuar y completar su aprendizaje hasta conseguir un dominio general y suficiente del catalán, que les permita usarla con eficacia en cualquier situación de la vida cotidiana. Pero estos materiales pueden ser útiles, asimismo, para quienes, sin haber seguido sistemáticamente las primeras treinta unidades del curso, quieran integrarse a él poseyendo ya unos conocimientos previos de esta lengua, o incluso para quienes ya hablan habitualmente en catalán pero desean ampliar y perfeccionar su capacidad de expresión.

El presente **Llibre de l'autoaprenent** ofrece ciertas novedades respecto a la **Guia de l'autoaprenent** que correspondía al primer nivel del curso. Con las innovaciones introducidas se pretende simplificar y agilizar el manejo de los textos indispensables para el autoaprendizaje, procurando, también, que tanto las explicaciones como los ejercicios que en él se contienen se adapten a las especiales circunstancias que comporta un trabajo individualizado y sin ayuda directa y permanente de un profesor.

Las principales diferencias, en relación con los textos del primer nivel son las siguientes:

> — Los textos necesarios para el autodidacta (explicaciones, ejercicios, transcripción de los diálogos, etc.) están integrados en un solo libro. Por consiguiente, **los materiales indispensables** para el autoaprendizaje **son el Llibre de l'autoaprenent y las cassettes** que lo acompañan. Los demás textos que componen el curso solamente son de utilidad si se realiza un aprendizaje controlado, es decir, bajo la supervisión de un profesor.
>
> — Este segundo nivel está estructurado en dos ciclos de quince unidades cada uno. Para facilitar el manejo de los textos, **este Llibre de l'autoaprenent se presenta en dos volúmenes**, uno para cada ciclo.
>
> — **Las explicaciones y los comentarios** que se incluyen en este libro **se harán en catalán**, puesto que consideramos que las personas que sigan esta segunda parte del curso ya están capacitadas para comprender indicaciones por escrito como las que figuran aquí.

PROGRAMACIÓN DE UNIDADES

La estructura de este segundo nivel, en cuanto a su organización interna por unidades y áreas temáticas también es diferente de la que presentaba **Digui, digui...** /1. En el nivel anterior, las unidades se distribuían en tres ciclos, en cada uno de los cuales se trataban las mismas áreas temáticas: *información personal, localizaciones, tiempo, acciones y acontecimientos, trabajo, descripción y cuantificación de objetos y sustancias, opiniones* y *peticiones, servicios y disponibilidades*. La programación de **Digui, digui...**/2, en cambio, obedece al siguiente desarrollo:

ÁREA TEMÁTICA	UNIDADES	
	Primer ciclo	Segundo ciclo
INFORMACIÓ SOBRE PERSONES	31. Informació personal (Comparacions) 32. Identificació de persones (Trets peculiars) 33. Costums i hàbits personals (Contrast entre el present i el passat)	46. Experiències (Evolució de les persones i de la societat 47. Biografies (Fets i suposicions) 48. Països i gent
INFORMACIÓ SOBRE COSES I LLOCS	34. Localitzacions (Botigues i serveis) 35. Compres (Descripció i tria d'objectes) 36. Llocs (Informació sobre ciutats, pobles, comarques...)	49. Buscant pis (Compra i lloguer de pisos) 50. Aparells i màquines (Funcionament i avaries) 51. Viatges (mitjans de transports i llocs)
SUGGERIMENTS, CONSELLS I PETICIONS	37. Estats d'ànim 38. Consells (Consells, objeccions i dubtes) 39. Projectes (Projectes, suggeriments i hipòtesis)	52. Comportament (Suposicions i consells) 53. Normes de conducta (Lleis, drets i llibertats) 54. Peticions formals (Llenguatge administratiu)
ACCIONS, FETS I ESDEVENIMENTS	40. Esdeveniments (Narració amb diversos graus de seguretat) 41. Recriminacions (Recriminacions, excuses i disculpes) 42. Retrets i especulacions sobre fets passats	55. Malalties i accidents (Accidents laborals i normes de de seguretat) 56. Esports 57. Futur (Prediccions)
OPINIONS I ARGUMENTACIONS	43. Discussions (Reunions, debats i assemblees) 44. Instruccions (Instruccions, argumentacions i objeccions) 45. Punts. de vista (Arguments a favor i en contra)	58. Societat i política (Opinions) 59. Sobre el teu país (Països Catalans) 60. Què opines del curs? (Avaluació del curs)

Las áreas temáticas, pues, se reducen a cinco y a cada una de ellas se dedican seis unidades, en vez de las tres que contenían las áreas del primer nivel. Por otro lado, desaparecen las unidades de repaso, puesto que, de hecho, cada unidad de **Digui, digui...** /2 supone un repaso y una consolidación de los contenidos de las unidades anteriores.

UTILIZACIÓN DEL MATERIAL BÁSICO

En cada una de las unidades de este libro, encontrará las indicaciones y las explicaciones oportunas sobre la manera como hay que proceder para completar los objetivos de aprendizaje previstos. Aun así puede ser útil tener en cuenta algunas consideraciones previas sobre cada una de las partes en que se divide una unidad didáctica. Estas partes son las siguientes:

1 — Definición de los objetivos de aprendizaje (objectivos comunicativos).
2 — Modelos de uso lingüístico (diálogos y textos de presentación).
3 — Explicaciones y comentarios sobre aspectos gramaticales o sobre el uso de determinadas formas lingüísticas.
4 — Prácticas orales.
5 — Ejercicios de comprensión.
6 — Listas de vocabulario y de expresiones.
7 — Ejercicios de repaso.
8 — Solución de los ejercicios.
9 — Transcripción de los diálogos.

1. — *Definición de los objetivos de aprendizaje (objetivos comunicativos)*

Cada unidad se inicia con la definición, en los términos más explícitos posible, de sus objetivos de aprendizaje, es decir, con la definición de lo que se espera que usted aprenda a hacer a lo largo de la unidad didáctica. Por ejemplo, *dar datos personales* (unidad 31), *llevar a cabo los actos lingüísticos más usuales para comprar o vender* (unidad 35), *pedir consejo ante una duda o ante un problema* (unidad 38), *hablar sobre las condiciones de compra de una vivienda* (unidad 49) o *explicar el funcionamiento de un automóvil* (unidad 50).

Es preciso leer con detenimiento el enunciado de estos objetivos para así tener una idea clara de la finalidad comunicativa de todas las operaciones lingüísticas que se deban realizar en la unidad. De esta forma, sabiendo exactamente sobre qué versará la unidad, tendrá la posibilidad de repasar, si lo considera necesario, las unidades anteriores que tratasen de temas similares y podrá organizar su autoaprendizaje de acuerdo con sus intereses concretos y particulares.

2. — *Modelos de uso lingüístico*

A continuación se presentan unos diálogos o unos textos en los que verá realizados algunos de los actos comunicativos descritos en los objetivos de aprendizaje. Es decir, unos modelos de cómo podemos expresar algo usando determinadas palabras o determinadas frases.

El primero de estos modelos lo encontrará, por norma general, en forma de diálogos grabados en cassette. Unos diálogos que corresponden, en su mayoría, a fragmentos de los episodios que, bajo el título de *L'avinguda del Desastre*, narran las peripecias de unos personajes fijos.

La función básica de estos diálogos es la de ejemplificar las operaciones lingüísticas que habrá que practicar posteriomente. Así, si uno de los objetivos de la unidad es aprender a *describir a una persona*, oiremos a los personajes describir a alguien, y si de lo que se trata es de *expresar suposiciones*, encontraremos varias frases, dichas por los personajes, que implican una suposición.

La audición de cada diálogo debe hacerse teniendo en cuenta la situación en la que tiene lugar, situación que se describe tanto en el libro como en la presentación del diálogo grabado en la cassette, pero que todavía es más evidente en la versión en vídeo o TV del episodio correspondiente.

Es preciso escuchar el diálogo tantas veces como sea necesario, hasta comprender su significado global. Si en él aparecen palabras o expresiones de difícil comprensión, hay que anotarlas y buscar su significado, ya sea a través de las explicaciones que encontrará en el propio libro, ya sea consultando un diccionario o a personas que puedan aclarar estos conceptos.

Cuando considere que ha entendido completamente el significado del diálogo, haga los ejercicios que suelen acompañarlos: repetir frases o expresiones, responder a preguntas relacionadas con el diálogo, completar fragmentos del mismo diálogo, rellenar fichas, etc. La repetición en voz alta de algunos pasajes del diálogo le ayudará a adquirir una buena pronunciación, y la realización de los ejercicios relacionados con el diálogo le ayudará a comprobar si su comprensión del mismo ha sido del todo satisfactoria.

Aunque al final de cada unidad tenga la transcripción de todos los diálogos, es muy importante llevar a cabo las primeras audiciones y los ejercicios de comprensión correspondientes *sin leer el texto de estos diálogos*. La versión escrita solamente hay que consultarla cuando se dé por comprendido el sentido global de la versión oral o cuando por cualquier causa (dificultad de unas expresiones, deficiencias de sonido, etc.) se haga muy difícil esta comprensión.

En algunas unidades (la 31, por ejemplo), la presentación de modelos no se realiza solamente mediante diálogos orales, sino también a partir de textos sin soporte auditivo. En estos casos, es necesario leerlos atentamente y procurar deducir, por el contexto, el significado de las palabras o de las expresiones que resulten nuevas. Compruebe después si el significado que usted intuye es el adecuado, consultando el vocabulario que hay en la unidad o las explicaciones que se dan a continuación de los modelos.

3. — *Explicaciones*

Antes o después de la presentación de los modelos de uso lingüístico, y entre éstos y los ejercicios prácticos que vendrán a continuación, encontrará unas breves explicaciones sobre aspectos gramaticales o sobre el uso de determinadas palabras o expresiones. Es preciso advertir que tales explicaciones no pretenden ser exhaustivas ni tampoco pueden tratar a fondo todos los problemas gramaticales que se puedan ir suscitando. Este cometido correspondería más bien a un manual de gramática catalana, lo cual no pretende ser en modo alguno este *Llibre de l'autoaprenent*. Su intención es simplemente la de comentar, a partir de ejemplos concretos y de una forma eminentemente práctica, los mecanismos lingüísticos que afectan a la realización de unos determinados actos de habla, y, más concretamente, a los actos de habla que hay que saber realizar para expresar lo que se haya definido en los objetivos de la unidad.

Debemos decir, también, que en estos comentarios se ha tenido en cuenta el hecho de que, presumiblemente, la mayoría de personas que sigan el curso serán de lengua castellana; por consiguiente, se insiste más en aquellos aspectos que puedan suponer unas interferencias claras entre el catalán y el castellano o en los puntos de la gramática que presenten unas diferencias más acusadas entre ambas lenguas.

En cuanto al lenguaje usado en las explicaciones, hemos procurado que fuese llano y asequible para cualquier persona, aun cuando ésta no tuviera otra formación gramatical que la propia de un grado elemental. Se ha evitado, en la medida que ha sido posible, usar términos especializados o que pudiesen resultar de difícil comprensión para quienes no estuviesen familiarizados con la terminología propia de los estudios lingüísticos.

A menudo, las explicaciones van acompañadas de unos cuadros en los que se sintetizan las estructuras básicas presentadas en la unidad. La formulación de estas estructuras se ha hecho teniendo en cuenta los elementos que son pertinentes para llevar a cabo un acto de habla determinado, con una función expresiva determinada. Estos cuadros de estructuras pueden ser útiles para recordar, a simple vista, cuáles son las construcciones que hay que saber utilizar al final de cada unidad. Para leer las fórmulas, conviene recordar el significado de las abreviaciones y los signos más frecuentemente utilizados:

Ex.	exemple	pres	present
f	femení	pass	passat
m	masculí	fut	futur
sing	singular	indef	passat indefinit (*pretérito*
pl	plural		*perfecto, en castellano*)
Adj	adjectiu	imp	passat imperfet
Adv	adverbi	perf	passat perfet (*pretérito*
SN	sintagma nominal		*indefinido, en castellano*)
O	oració	plusq	passat plusquamperfet
V	verb	ant	passat anterior
INF	infinitiu	COND	condicional
PART	participi passat	IMP	imperatiu
GER	gerundi	SUBJ	subjuntiu
IND	indicatiu		

( ) *Los paréntesis indican que el elemento que hay en su interior es prescindible.*

Si en la formulación de una estructura lingüística encontramos una palabra escrita en CURSIVAS, entenderemos que se incluye en dicha formulación cualquier variante de género, de número, de persona o de tiempo que sea posible. Así, pues, la fórmula:

QUÈ *ET SEMBLA?*

incluye variantes de número y de tratamiento, en relación a la segunda persona, como:

Què **et** sembla?
Què **us** sembla?
Què **li** sembla?
Què **els** sembla?

o de tiempo verbal como:

Què et **sembla**?
Què t'ha **semblat**?
Què et **va semblar**?

que, combinadas, pueden dar lugar a:

Què **us va semblar**?
Què **li ha semblat**?
Què **els va semblar**?
etc.

4. — *Prácticas orales*

Después de la presentación de los modelos de uso lingüístico y de las explicaciones correspondientes, habrá que realizar una serie de ejercicios que ayuden a fijar y mecanizar las principales estructuras lingüísticas presentadas anteriormente. En algún caso, estos ejercicios se presentan en forma escrita, pero la mayoría de las veces se deberán realizar oralmente y requerirán el uso de las cassettes. Nos detendremos, pues, en este tipo de prácticas orales, ya que, cuando se trate de ejercicios escritos, encontrará las indicaciones precisas de cómo hay que realizarlos en el enunciado de cada uno de ellos.

Para las prácticas orales con cassette, el procedimiento a seguir, salvo ligeras variaciones convenientemente explicadas en cada caso, será siempre el mismo:

1.º) Lea atentamente las instrucciones que hay en el libro. El símbolo que acompaña el anunciado del ejercicio indica que se trata de un ejercicio oral que requiere el uso de cassette, y la cifra que hay a su lado, el número del ejercicio según el orden en que aparece en la cassette.

(**Escolta**) 2.º) Escuche las frases o los breves diálogos que se dan como modelo de las estructuras que hay que practicar.
Por ejemplo:
—**Hi ha cap estanc per aquí?**
▶ **No. Hi ha** *moltes botigues*, **però**, *d'estanc*, **no n'hi ha cap.**
Fíjese bien en las palabras escritas en cursiva, ya que éstas serán las que más tarde deberá sustituir, y en la intervención señalada con el signo ▶, puesto que indica la intervención que usted deberá realizar, sustituyendo alguna de las palabras que contiene por otras que se le indicarán.

(**Repeteix**) 3.º) Repita las frases o las intervenciones que oirá, procurando, sobre todo, reproducirlas con la misma rapidez, la misma entonación y con una pronunciación lo más parecida posible.

(**Practica-ho**) 4.º) Al oír la señal acústica, intervenga diciendo la misma frase señalada en el modelo, pero sustituyendo las palabras que allí están en cursiva por las que se indican en el libro, y realizando los cambios morfológicos que sean necesarios (pasar del singular al plural, de masculino a femenino, de primera persona a segunda, etc.). Por ejemplo:

... *moltes botigues* ... habrá de ser sustituido por

... *tres parvularis* ...
... *dues caixes* ...
... *dos cines* ...

Al mismo tiempo, y respectivamente,

... *d'estanc*, se deberá cambiar por

... *d'escola*,
... *de banc*,
... *de teatre*,

De esta manera se habrán construido diálogos con la misma estructura que interesa practicar, pero con ligeras variaciones respecto al diálogo que servía de modelo:

— **No hi ha cap escola per aquí?**
— **No, hi ha** *tres parvularis*, **però**, *d'escola*, **no n'hi ha cap.**

— **Hi ha cap banc per aquí?**
— **No. Hi ha** *dues caixes*, **però**, *de banc*, **no n'hi ha cap.**

— **Hi ha cap teatre per aquí?**
— **No. Hi ha** *dos cines*, **però**, *de teatre*, **no n'hi ha cap.**

Después de cada una de sus intervenciones, oirá la respuesta correcta. Compárela con lo que ha dicho usted y, si considera que su intervención ha sido satisfactoria, pase a la siguiente sustitución. En caso contrario, repítala, hasta que consiga una respuesta correcta, con la misma rapidez, la misma entonación y la misma pronunciación con que la oirá en la cassette.

Este tipo de ejercicios le ayudarán, pues, a distinguir y mecanizar el uso de unas estructuras que siempre implican alguna dificultad, como en el caso del ejemplo que acabamos de ver, en el que, con el objetivo comunicativo de *dar información sobre los servicios públicos que existen en un barrio, en un pueblo o en una ciudad*, se han trabajado las estructuras

hi ha + SN
n'hi ha + Q   (**Q** = cuantitativo)

5. — *Ejercicios de comprensión*

Aparte de los estrictamente estructurales, en este libro hallará otras propuestas de ejercicios, cuya finalidad primordial es el desarrollo de la capacidad de comprensión, ya sea de un mensaje escrito, ya sea de un texto. Una correcta realización de estos ejercicios no debería requerir más de dos audiciones o de dos lecturas, teniendo en cuenta que, cuando se trate de mensajes orales, **puede tomar notas** de todo lo que considere importante para poder responder a las preguntas del libro. No se trata, pues, de ejercicios memorísticos: en cada uno de ellos, usted **deberá intentar comprender el significado global de un mensaje, en las mismas condiciones en que lo haría en cualquier situación real**.

6. — *Lista de vocabulario y de expresiones*

Después del desarrollo de la unidad, en cuanto a explicaciones y ejercicios se refiere, encontrará una lista con la traducción al castellano de las palabras y expresiones más importantes, en relación con los contenidos de la unidad.

Esta lista le resultará útil como referencia del vocabulario esencial que hay que memorizar y también para que pueda consultar rápidamente el significado de los términos aparecidos a lo largo de las explicaciones o de los ejercicios.

7. — *Ejercicios de repaso*

Una vez realizados satisfactoriamente todos los ejerciciois que hayan ido apareciendo en la unidad, todavía tiene otra oportunidad de repasar, consolidar y completar sus principales contenidos. Para ello es aconsejable que realice los ejercicios complementarios que hay al final de la unidad. Se trata de ejercicios en los que usted deberá completar frases, colocar u ordenar palabras adecuadamente, resolver pasatiempos, etc., todo ello siempre en relación con algún aspecto gramatical o con parte del vocabulario que se haya tratado en la unidad didáctica.

8. — *Solución de los ejercicios*

Un aprendizaje en régimen autodidáctico requiere la posibilidad de autocorregirse. Para ello es necesario tener a mano la solución de cada ejercicio, de manera que se pueda contrastar la respuesta dada con la respuesta correcta.

En los ejercicios orales de práctica de estructuras, la respuesta correcta se encuentra en la misma grabación: usted oirá, después de su intervención, lo que tendría que haber dicho. Los ejercicios que piden una respuesta oral tendrán, pues, una solución oral.

En cuanto a los que necesiten una respuesta escrita, podrá encontrar su solución al final de cada unidad, inmediatamente después de los ejercicios de repaso. Como es lógico, hay que comprobar las soluciones una vez realizado el ejercicio y nunca antes de empezarlo o mientras se realiza. Si cree que no puede resolver alguno de ellos, repase de nuevo las explicaciones que se dan en la unidad, antes de recurrir a la página de soluciones.

Para que pueda repasar con más atención lo que se dice en los diálogos y para que tenga constancia de cómo se escribe lo que antes ha oído, las unidades se cierran con la versión escrita y completa de los diálogos que contienen las cassettes.

Como ya hemos advertido anteriormente, es muy importante no leer estas transcripciones durante las primeras audiciones de los diálogos, para que se acostumbre a tener un primer contacto con las formas lingüísticas que se trabajarán a lo largo de la unidad, de la misma manera en que se produciría generalmente en la vida real: mediante la palabra oral.

En cambio, cuando ya se haya alcanzado una comprensión del diálogo en su versión oral, le puede ser incluso útil leer su contenido, al mismo tiempo que lo escucha, para relacionar los sonidos del catalán con sus correspondientes grafías. Incluso como práctica suplementaria para mejorar su dicción y su fluidez, puede aprovechar esta transcripción para leer en voz alta algunas de las intervenciones o algún fragmento del diálogo, escuchando a la vez lo que se dice en la cassette.

PROGRAMAS DE TV Y RADIO

En los programas de TV y radio del curso **Digui, digui...** encontrará, en forma de diálogos desarrollados en situaciones concretas, algunos modelos lingüísticos de lo que constituye los objetivos comunicativos de la unidad. A través de las conversaciones que se presentan en dichos programas, tendrá ocasión de ver plasmados, con una función comunicativa evidente, los contenidos que deberá asimilar. Es por ello que, aunque se hayan concebido como materiales didácticos complementarios, los programas de TV y de radio constituyen un medio inmejorable para perfeccionar, de forma amena y distendida, su capacidad de comprensión y para estimular su capacidad de expresión.

Estos programas pueden ser útiles, sobre todo, en dos momentos de su aprendizaje, aunque de maneras diferentes: como presentación de los contenidos de la unidad o como repaso de estos contenidos.

En el primer caso, es decir, cuando vea o escuche los programas antes de iniciar su trabajo con el libro y las cassettes, concéntrese en lo que dicen los personajes, esforzándose en comprender no sólo lo que dicen, sino también la manera cómo lo dicen y la intención con que lo dicen. Anote todas aquellas palabras que le resulten nuevas o cuyo significado no recuerde o no conozca, y ponga especial atención en las frases que aparecen sobreimpresas en la TV y en las que se repiten en la radio, ya que obedecen a las estructuras lingüísticas que deberá practicar durante la unidad, cuando utilice el libro y las cassettes. Repita en voz alta o mentalmente estas frases. Todo esto constituirá una buena preparación para un trabajo posterior, con libro y cassettes, más intenso, y le ayudará a comprender mejor las situaciones y el contexto en que tienen lugar algunos de los diálogos contenidos en el material auditivo.

Si por razón de los horarios de emisión, o porque así lo prefiere, sigue los programas de TV o de radio después de haber trabajado con el libro y las cassettes, estos programas pueden convertirse en un excelente sistema de repaso de los contenidos ya trabajados. En este caso, le será mucho más fácil comprender todo lo que en ellos se diga, puesto que ya se habrá familiarizado con las estructuras lingüísticas que manejan los personajes en sus diálogos. Encontrará, además, otros modelos de realización de los objetivos comunicativos descritos en el libro, ampliándole el campo de visión en cuanto a su uso en situaciones mucho más variadas.

Finalmente, y si dispone de tiempo suficiente, le aconsejamos que siga estos programas con la mayor frecuencia posible. Si puede ver los programas de TV y escuchar los de radio antes y después del trabajo con el libro y las cassettes, su efectividad se complementará y se multiplicará.

PÁGINAS DE PRENSA

Durante las mismas semanas en que se emitan los programas de radio y de televisión, aparecerán en varias publicaciones periódicas unas páginas dedicadas al curso **Digui, digui...** Si es usted lector de alguna de las que edita las páginas correspondientes a este segundo nivel del curso, tiene la posibilidad de aprovechar estas páginas como material de repaso, puesto que en ellas encontrará ejercicios relacionados con el tema de la unidad de la semana, y como instrumento de iniciación a la lectura de textos periodísticos en catalán, lo cual es del todo recomendable para conseguir una buena competencia lingüística del catalán escrito.

RED DE AULAS MULTIMEDIA

No olvide que existe una red de aulas multimedia extendida por toda Catalunya. Para cualquier consulta o asesoramiento puede dirigirse al aula multimedia que tenga más cerca, siempre que lo desee. Allí sus consultas serán atendidas por profesores especializados en el curso, que le aconsejarán y orientarán para un mejor aprovechamiento de todos los materiales didácticos que tiene a su disposición.

SÍMBOLOS

 Ejercicio que requiere el uso de las cassettes.

 Diálogo que corresponde a un fragmento de la versión en vídeo o TV de la unidad.

⚠ Señal de advertencia para que se ponga atención en algún punto especial en las explicaciones.

CONTINGUTS

ÀREA 1 — INFORMACIÓ SOBRE PERSONES

PRIMER CICLE

Unitat 31 **INFORMACIÓ PERSONAL (Comparacions)**
— Donar dades personals.
— Intercanviar informació sobre persones.
— Comparar dues persones pel que fa al seu aspecte físic i a la seva manera de ser.

Unitat 32 **IDENTIFICACIÓ DE PERSONES (Trets peculiars)**
— Identificar i descriure algú, indicant-ne algun tret peculiar.
— Descriure algú, fent comparacions.

Unitat 33 **COSTUMS I HÀBITS PERSONALS (Contrast entre el present i el passat)**
— Intercanviar informació personal pel que fa a costums, hàbits i activitats quotidianes, en el present i en el passat.
— Demanar i donar informació sobre el comportament de terceres persones.
— Explicar fets i esdeveniments que afecten terceres persones.

SEGON CICLE

Unitat 46 **EXPERIÈNCIES (Evolució de persones i de la societat)**
— Parlar dels canvis soferts en una persona.
— Contrastar la infantesa i la joventut d'un mateix amb la d'altres persones, pel que fa a educació, escola, jocs, costums, modes, etc.
— Narrar experiències personals passades.
— Relacionar experiències de la vida personal amb esdeveniments històrics i socials.

Unitat 47 **BIOGRAFIES (Fets i suposicions)**
— Demanar i donar informació sobre la vida d'algú.
— Fer suposicions sobre la vida d'una persona.
— Comprovar l'origen d'una informació sobre una persona.

Unitat 48 **PAÏSOS I GENT**
— Comprendre diàlegs senzills expressats en la varietat dialectal baleàrica.
— Fer apreciacions globals sobre grups de persones.

ÀREA 2 — INFORMACIÓ SOBRE COSES I LLOCS

PRIMER CICLE

Unitat 34 **LOCALITZACIONS (Botigues i serveis)**
— Preguntar i indicar on es poden trobar diferents botigues i serveis.
— Preguntar i indicar on es troba un lloc, donant punts de referència.

Unitat 35 **COMPRES (Descripció i tria d'objectes)**
— Fer els actes lingüístics més usuals per comprar i vendre; demanar i dir què es vol, especificant-ne les característiques (preu, color, mida, material, finalitat, classe, etc.).
— Demanar precisions sobre algun article, alguna peça o algun producte.
— Acceptar o rebutjar un article, una peça o un producte.

Unitat 36 **LLOCS (Informació sobre ciutats, pobles, comarques)**
— Parlar del temps atmosfèric. Comparar el clima de dos llocs determinats.
— Descriure un barri, un poble o una ciutat: situació, entorn geogràfic, recursos econòmics, clima, activitats que s'hi poden fer, etc.

SEGON CICLE

Unitat 49 **BUSCANT PIS (Compra i lloguer de pisos)**
— Descriure un habitatge segons el nombre d'habitacions, les dimensions, la distribució i els condicionaments interns i externs.
— Parlar sobre les condicions de compra d'un habitatge (preu, sistemes de pagament, etc.).

Unitat 50 **APARELLS I MÀQUINES (Funcionament i avaries)**
— Descriure les parts d'un automòbil.
— Explicar el funcionament d'un cotxe i d'altres màquines.
— Advertir què s'ha de fer en moments determinats del funcionament d'una màquina.
— Explicar com es pot arreglar una avaria.

Unitat 51 **VIATGES (Mitjans de transport i llocs)**
— Parlar dels avantatges i inconvenients dels mitjans de transport.
— Demanar i donar informació sobre llocs per anar a passar les vacances.
— Parlar sobre les característiques de diferents comarques: llocs d'interès turístic, poblacions importants, activitats d'esbarjo que s'hi poden realitzar, serveis, allotjaments, etc.

ÀREA 3 — SUGGERIMENTS, CONSELLS I PETICIONS

PRIMER CICLE

Unitat 37 ESTATS D'ÀNIM
— Interessar-se per l'estat d'ànim d'algú.
— Expressar un estat d'ànim i explicarne les causes.
— Oferir-se a fer alguna cosa per algú.
— Donar ànims a algú.
— Suggerir solucions a un problema.

Unitat 38 CONSELLS (Consells, objeccions i dubtes)
— Demanar consell.
— Aconsellar.
— Posar objeccions.
— Expressar dubtes.

Unitat 39 PROJECTES (Projectes, suggeriments i hipòtesis)
— Enunciar projectes d'accions (decisions).
— Fer plans.
— Suggerir de fer alguna cosa. Acceptar o refusar un suggeriment.
— Formular hipòtesis d'irrealitat.

SEGON CICLE

Unitat 52 COMPORTAMENT (Suposicions i consells)
— Fer suposicions sobre què li deu haver passat a una persona.
— Donar consells.

Unitat 53 NORMES DE CONDUCTA (Lleis, drets i llibertats)
— Explicar un incident que ha perjudicat algú.
— Parlar sobre si una cosa o un fet és legal o no.
— Censurar algú per haver actuat malament.
— Parlar sobre les llibertats, els drets i les obligacions dels ciutadans.

Unitat 54 PETICIONS FORMALS (Llenguatge administratiu)
— Formalitzar documents administratius.
— Escriure cartes comercials.
— Fer peticions formals i informals.

ÀREA 4 — ACCIONS, FETS I ESDEVENIMENTS

PRIMER CICLE

Unitat 40 **ESDEVENIMENTS (Narració amb diversos graus de seguretat)**
— Narrar un esdeveniment (concordança de temps verbals en passat).
— Expressar el grau de seguretat respecte a un fet narrat (certesa, incredulitat, dubte).
— Expressar sorpresa o perplexitat respecte a un fet narrat.

Unitat 41 **RECRIMINACIONS (Recriminacions, excuses i disculpes)**
— Recriminar a algú de no haver fet cas d'una advertència.
— Recriminar a algú d'haver fet o d'haver deixat de fer alguna cosa de la qual es deriva alguna conseqüència greu.
— Disculpar-se, explicant les causes per les quals s'ha fet o s'ha deixat de fer alguna cosa.
— Acceptar o refusar les disculpes.

Unitat 42 **RETRETS I ESPECULACIONS SOBRE FETS PASSATS**
— Lamentar-se d'haver oblidat de fer una cosa o d'haver fet alguna cosa malament.
— Retreure a algú alguna cosa que ha fet o que ha deixat de fer.
— Narrar un esdeveniment passat, expressant alleujament i fent especulacions sobre el que hauria pogut passar.
— Preguntar sobre accions possibles a partir d'una hipòtesi prèvia. Respondre-hi.

SEGON CICLE

Unitat 55 **MALALTIES I ACCIDENTS (Accidents laborals i normes de seguretat)**
— Parlar de les normes de seguretat en una feina i dir si es compleixen o no.
— Entendre i contestar les preguntes més usuals per establir un diagnòstic mèdic.
— Explicar un accident laboral.

Unitat 56 **ESPORTS**
— Advertir de les conseqüències que pot comportar fer o deixar de fer alguna cosa.
— Entendre i donar instruccions per fer un determinat exercici físic.
— Dir en què consisteix un esport determinat i explicar les normes que el regulen.
— Opinar sobre activitats esportives: expressar preferències sobre esports; detallar avantatges i inconvenients de la pràctica d'un esport determinat.
— Narrar un esdeveniment esportiu. Entendre la narració d'un esdeveniment esportiu.

Unitat 57 **FUTUR (Prediccions)**
— Fer prediccions i opinar sobre el sistema de vida en el futur (avenços tecnològics, organització política i social, relacions humanes, professions, etc.).

ÀREA 5 — OPINIONS I ARGUMENTACIONS

PRIMER CICLE

Unitat 43 **DISCUSSIONS (Reunions, debats, assemblees)**
— Expressar opinions dins una discussió formal.
— Fer un resum del que s'ha dit i tractat en alguna discussió formal (debats, reunions, articles de premsa, etc.).

Unitat 44 **INSTRUCCIONS (Instruccions, argumentacions i objeccions)**
— Donar instruccions sobre el maneig d'un aparell o sobre el seu funcionament.
— Donar les instruccions necessàries per realitzar una operació.
— Argumentar a favor o en contra d'un projecte.
— Posar objeccions a un projecte.

Unitat 45 **PUNTS DE VISTA (Arguments a favor i en contra)**
— Argumentar. Donar arguments a favor o en contra sobre un tema polèmic. Mostrar acord o desacord amb un argument o amb una opinió. Rebatre un argument.
— Contradir o negar una afirmació.
— Matisar i precisar una afirmació.
— Parlar sobre els avantatges i els inconvenients d'una activitat determinada.

SEGON CICLE

Unitat 58 **SOCIETAT I POLÍTICA (Opinions)**
— Demanar i donar una opinió sobre alguns aspectes de la societat i de la situació política actual.
— Demanar i donar informació sobre Catalunya.

Unitat 59 **SOBRE EL TEU PAÍS (Països Catalans)**
— Distingir característiques dialectals del català.
— Demanar i donar informació sobre els Països Catalans.

Unitat 60 **QUÈ OPINES DEL CURS? (Avaluació del curs)**
— Fer una valoració global sobre els diversos materials que componen el curs.
— Autoavaluar les aptituds comunicatives després d'haver dut a terme el curs.

L'AVINGUDA DEL DESASTRE

En aquest segon nivell del curs **Digui, digui...** t'aniràs familiaritzant amb uns quants personatges que trobaràs en cada unitat. En coneixeràs la manera de ser i de fer, els problemes i les manies, l'activitat i les opinions. I podràs seguir les seves peripècies a través de les cassettes o dels vídeos que complementen el llibre. Però, abans de començar la primera unitat didàctica, convé presentar-te'ls.

EN MIQUEL

És un jove de 24 anys. Va néixer a Veneçuela, però els seus pares són catalans. Ha vingut a Catalunya amb l'esperança de trobar feina com a dibuixant de còmics, que és el que a ell li agrada fer. El seu caràcter, més aviat tímid, contrasta amb el dels seus dos companys de pis.

LA SRA. MERCÈ

És la propietària del pis on viuen en Miquel, l'Alfonso i en Toni, amb els quals manté una relació una mica especial, a causa de la seva mania de ficar-se allà on no la demanen.

L'ALFONSO

L'Alfonso és andalús, però fa dotze anys que viu a Catalunya. Gràcies a la seva feina com a taxista coneix Barcelona millor que ningú. És alegre, bromista i extrovertit. La seva principal preocupació és trobar la manera de passar-s'ho bé i d'incordiar en Toni.

EN TONI

Mallorquí. Fa cinc anys que estudia a la facultat de Medicina... el primer curs! És un bon company, disposat a ajudar sempre. Potser una mica aprensiu per la carrera que ha decidit estudiar.

LA NEUS

És la xicota de l'Alfonso. Té un geni de mil dimonis i una obsessió: casar-se amb l'"animal" de l'Alfonso.

LA CARME

És una noia jove, moderna i amb iniciativa. Li agrada ser independent.

INFORMACIÓ PERSONAL
Comparacions

Objectius comunicatius

L'objectiu d'aquesta unitat didàctica és aprendre a:
— Donar dades personals (nom, edat, lloc i data de naixement, lloc de residència, ocupació, etc.)
— Intercanviar informació personal amb una altra persona, sobre un mateix o sobre terceres persones.
— Comparar dues persones pel que fa al seu aspecte físic i a la seva manera de ser.

1. — Llegeix el text següent:

En Miquel té vint-i-quatre anys i és dibuixant de còmics. Els seus pares són catalans, però van emigrar a Veneçuela per qüestions de feina ja fa molts anys. Allà van tenir tres fills: la Montserrat, en Jordi i en Miquel, que és el petit. En Miquel sempre ha viscut a la capital, a Caracas. Allà va cursar els seus estudis d'art; però, com que les perspectives de feina no eren gens bones, va decidir venir a Catalunya a provar sort. Es va posar en contacte amb una tia seva que viu a Barcelona i ella li ha buscat un pis. N'ha trobat un a l'avinguda del Desastre d'Annual, núm. 13, a casa d'una amiga seva.

La primera cosa que ha fet en Miquel quan ha arribat a Barcelona ha estat anar a veure el pis.

Fixa't que en aquest text s'utilitzen dos temps verbals diferents en passat:

Els seus pares **van emigrar**

Allà **van tenir** *tres fills.*
Allà **va cursar** *els seus estudis.*

Va decidir *venir a Catalunya.*
Es va posar *en contacte amb una tia seva.*

En Miquel sempre **ha viscut** *a Caracas.*
Ella li **ha buscat** *un pis.*
*N'***ha trobat** *un a l'avinguda del Desastre d'Annual.*

La primera cosa que **ha fet** (...) *quan* **ha arribat** (...) **ha estat** *anar a veure el pis.*

A la primera columna hi hem posat els verbs en passat perfet i a la segona, els verbs en passat indefinit.

El passat perfet ens expressa una acció passada i acabada, en un període de temps que considerem passat: **l'any passat vaig acabar** *la carrera.*

El passat indefinit expressa una acció passada, realitzada en un període de temps que encara considerem present: **aquest any he acabat** *la carrera.* També s'utilitza per expressar una acció que ha tingut lloc en un passat tan recent que el podem determinar amb el demostratiu **aquest/-a**: **Aquest estiu he acabat** *la carrera* (encara que, quan parlem, l'estiu ja hagi passat).

1

El passat perfet es forma amb el verb auxiliar **vaig**, **vas**, **va**, ... i l'infinitiu del verb que es conjuga.

El passat indefinit es forma amb un auxiliar **he**, **has**, **ha**, ... i el participi passat del verb que es conjuga.

Passat perfet

vaig vas va vam (o vàrem) vau (o vàreu) van (o varen)	**+ INF**

Passat indefinit

he has ha hem heu han	**+ PART**

V. DIGUI, DIGUI... /1 unitats 11, 15 i 19

1 2. — Després de llegir el text 1, formula les preguntes adequades a les respostes següents:

Ex. *Com* .....es diu.....?
Miquel Miquel

1) On ....?
Va néixer a Caracas.
2) Quants ....?
Vint-i-quatre.

3) Quants ....?
En té dos: un germà i una germana.

4) A quines ....?
Fins ara, a Caracas i ara, a Barcelona.
5) Què ....?
Art.

6) Qui ....?
La seva tia.
7) Per què ....?
Perquè a Caracas no trobava feina.
8) On ....,
la seva tia?
A l'avinguda del Desastre d'Annual.
9) Què ....,
primer de tot?
Ha anat a veure el pis.

2 3. — EXERCICI DE PRONUNCIACIÓ

Escolta aquestes dues frases i repeteix-les. Fixa't en la pronunciació de les lletres impreses en negreta.

▶ *A quin lloc va néixer en **J**oan?*
▶ *A **G**irona, em sembla.*

Substitueix | en **J**oan / a **G**irona | per | en **J**ordi / a **G**elida
la **J**oaquima / a **G**erri
en **G**enís / a **G**ironella
l'**À**ngels / a **G**er |

3 4. — PRÀCTICA D'ESTRUCTURES

Escolta aquestes frases.

— **Què van fer els senyors Miquel?**
▶ **Els senyors Miquel** *se'n van anar a viure a Veneçuela* **i sempre** *han viscut a Caracas.*

Escolta i repeteix les frases anteriors.

Practica-ho.

Respon a les preguntes següents, igual com has fet abans.

—Què va fer l'Adela?
—......................... Anglaterra .... Londres.
—Què va fer vostè?
—......................... Alemanya .... Frankfurt.
—I vosaltres, què vau fer?
—......................... Itàlia .... Milà.

5. — DIÀLEG

En Miquel ja ha arribat al seu nou domicili. És a la seva habitació, acabant de desfer les maletes i d'ordenar la roba a l'armari. Truquen a la porta. És l'Alfonso, un dels nois amb qui haurà de compartir el pis. Escolta el diàleg que mantenen i...

a) Pren nota de tota la informació que es dóna de l'Alfonso.
b) Omple aquestes fitxes.

	MIQUEL	ALFONSO
Lloc d'origen		
Edat		
Professió		
Estat civil		
Anys de residència a Barcelona		
Característiques físiques		
Caràcter (Com te l'imagines?)		

6. — a) Busca el significat dels adjectius del quadre al final de la unitat.
   b) Escriu sota de cada un dels dibuixos tres adjectius dels del quadre que corresponguin al físic o al caràcter de cada un dels personatges. Tot i que n'hi ha que poden anar bé a més d'un personatge, has de triar els que et semblin més adequats, ja que no en pots repetir cap.

a) ....
   ....
   ....

b) ....
   ....
   ....

c) ....
   ....
   ....

d) ....
   ....
   ....

e) ....
   ....
   ....

f) ....
   ....
   ....

Físic:
   ben plantat/-ada
   cap pelat/-ada
   corpulent/-a
   extremat/-ada
   gras/-assa
   lleig/lletja
   pèl-roig/pèl-roja
   sec/-a

Caràcter:
   assenyat/-ada
   covard/-a
   garrepa
   poruc/-uga
   rialler/-a
   seriós/-osa
   sorrut/-uda
   tímid/-a
   trempat/-ada
   valent/-a

Recorda que els adjectius acabats en **-ENT** no tenen flexió de gènere (*noi intel·li**gent***; *noia intel·li**gent***), però els acabats en **-LENT** tenen flexió de gènere i nombre.

Exs. *És un noi corpu**lent** i molt va**lent**.*
   *És una noia corpu**lenta** i molt va**lenta**.*

Fixa't també que en català l'adjectiu **covard** té femení tant en singular com en plural (en canvi en castellà no en té).

Exs. *És un noi bastant **covard**.*
   *És una persona bastant **covarda**.*

V. DIGUI, DIGUI... /1 unitat 8

5 ⊟ 7. — PRÀCTICA D'ESTRUCTURES

Escolta aquestes frases i repeteix-les.

— **És un senyor gras i pigat.**
▶ *És una senyora grassa i pigada.*

PRACTICA-HO

La primera frase que has sentit estava en masculí i la segona en femení. Ara sentiràs unes altres frases. Canvia el gènere en cada una d'elles, de manera que si està en masculí l'hauràs de dir en femení, i si està en femení, l'hauràs de dir en masculí.

— És un senyor lleig i prim.
— És una dona baixa i rossa.
— És un noi atractiu i eixerit.
— És un home poruc i envejós.
— És una dona eixerida i trempada.

5 ⊟ 8. — PRACTICA D'ESTRUCTURES

Escolta aquestes dues frases i repeteix-les.

— **Aquest noi sembla gelós i tímid.**
▶ *Aquests nois semblen gelosos i tímids.*

PRACTICA-HO

La primera frase que has sentit estava en singular i la segona en plural. Ara sentiràs unes altres frases. Canvia el nombre en cada una d'elles, de manera que si està en singular l'hauràs de dir en plural, i si està en plural, l'hauràs de dir en singular.

— Aquesta noia sembla ensopida i seriosa.
— Aquest noi sembla distret i poruc.
— Aquests homes són cridaners i envejosos.
— Aquestes dones són elegants i atractives.

7 ⊟ 9. — *Després d'haver endreçat totes les seves coses, en Miquel telefona a la seva tia per explicar-li que ja s'ha instal·lat al pis i per comentar-li les seves primeres impressions de la gent que acaba de conèixer. Escolta el que li diu i completa el text, d'acord amb el que sentiràs.*

Escolti? Que hi ha la tieta Assumpta? Que s'hi pot posar? Tieta? Em sent? _____ Miquel... Sí, li truco des del pis... L'habitació? Bé, no està malament... La propietària, l'amiga de _____? També bé, _____. Una mica estranya. Diuen que _____, però, vaja, bé... Ah, els companys? Són dos. També bé. _____ i _____. L'un és _____ i l'altre, doncs, potser és de la meva edat. De moment no sé encara quin és pitjor, però, vaja, tot perfecte. _____ i _____. Molt simpàtics, sí. L'un ha dit a l'altre que _____. La propietària, també _____. Fa por, però simpàtica... Que si estic _____? Molt!... Que si penso quedar-m'hi? Sí... No ho sé... De moment, la veritat..., no sé pas on m'he ficat...

Per explicar a la seva tia com són els seus dos nous companys de pis, en Miquel ha utilitzat frases com aquestes:

> — **L'un** *és andalús i* **l'altre**, *mallorquí.*
> — **L'un** *és més gran que jo i* **l'altre**, *doncs, potser és de la meva edat.*
> — **L'un** *és taxista i* **l'altre** *estudia.*

L'UN ... / L'ALTRE ...	*(fem.) L'UNA ... / L'ALTRA ...*

Però per explicar com són dues persones també podem utilitzar altres paraules. Fixa't en aquestes:

TOTS DOS...	*TOTES DUES...*
TANT L'UN COM L'ALTRE...	*TANT L'UNA COM L'ALTRA...*
NI L'UN NI L'ALTRE NO...	*NI L'UNA NI L'ALTRA NO...*
CAP DELS DOS NO...	*CAP DE LES DUES NO...*

V. DIGUI, DIGUI... /1 Unitats 8 i 18

Per exemple:

L'un *és cap pelat i* **l'altre**, *en canvi, té molts cabells* (*és molt pelut*).

Tots dos *porten bigoti.*

Tant l'un com l'altre *porten bigoti.*

Ni l'un ni l'altre *no porten ulleres.*

Cap dels dos *no porta ulleres.*

6

8 🔊 10. — **PRÀCTICA D'ESTRUCTURES**

Mirant els dibuixos que tens en el llibre, construeix frases com les dels exemples.

▶ 1. Ex. a) *L'un és jove i l'altre és vell.*

▶ 2. Ex. a) *L'un és més jove que l'altre.*

▶ 3. Ex. a) *L'un no és tan vell com l'altre.*

▶ 4. Ex. a) *Tots dos són joves. / Tant l'un com l'altre són joves.*

▶ 5. Ex. a) *Ni l'ún ni l'altre no porten barret. / Cap dels dos no porta barret.*

LÈXIC, EXPRESSIONS I FRASES FETES

Verbs
cursar *cursar*
emigrar *emigrar*
traslladar-se *trasladarse*

Substantius
arracada *f pendiente*
barret *m sombrero*
cicatriu *f cicatriz*
gavardina *f gabardina*
trena *f trenza*
ulleres *f gafas*
(av.) avinguda *f avenida*
(c. o c/) carrer *m calle*
(ptge.) passatge *m pasaje*
(pg.) passeig *m paseo*
(pl.) plaça *f plaza*
(entl.) entresol *m entresuelo*
(pral.) principal *m principal*
àtic *m ático*
(s/àtic) sobreàtic *m sobreático*

Adjectius
assenyat/-ada *juicioso, sensato*
atractiu/-iva *atractivo*
ben plantat/-ada *apuesto*
cap pelat/-ada (o calb/-a) *calvo*
corpulent/-a *corpulento*
covard/-a *cobarde*
cridaner/-a *chillón, gritón*
distret/-a *distraído*
eixerit/-ida *vivo, listo*
ensopit/-ida *amodorrado, aburrido*
envejós/-osa *envidioso*
esquerp/-a *huraño, arisco*
extremat/-ada *extremado*
garrepa *tacaño*
gelós/-osa *celoso*
pèl-roig/pèl-roja *pelirrojo*
pelut/-uda *peludo*
pigat/-ada *pecoso*
poruc/-uga *miedoso*
rialler/-a *risueño*
sec/-a (= prim/-a) *flaco, delgado*
seriós/-osa *serio*
sorrut/-uda *ceñudo, cazurro*
trempat/-ada (fig.) *vivo, simpático*
valent/-a *valiente*

EJERCICIS ESCRITS

A) **Poseu en pretèrit indefinit o en perfet perifràstic els verbs que hi ha entre parèntesis.**

1) La Maria .... sempre a Cervelló. Hi .... l'any 1952. Diu que s'hi està molt
bé. (viure, néixer)

2) En Joan .... aquest matí .... ahir d'Alacant. (arribar, sortir)

3) La família de Paco Contreras es .... a Catalunya l'any 1963. Des de llavors sempre més
.... a Badalona. S'hi troba molt bé. (traslladar-se, viure)

4) L'Imma Serra es .... l'any 1951. Sempre .... de perruquera. Guanya molt.
(casar-se, treballar)

5) En Pere Portella .... a Alemanya, però sempre .... tornar a Catalunya, i
ara crec que ho farà. (emigrar, voler)

B) **Escriu les paraules següents a la columna que els correspongui:** pigat, garrepa, assenyat, pèl-roig, sorrut, eixerit, cap pelat, distret, ensopit, envejós, sec, trempat, maco.

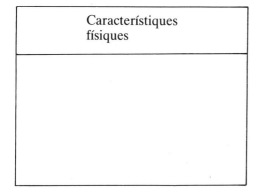

Característiques físiques

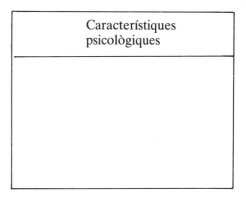

Característiques psicològiques

C) Potser alguna vegada has hagut de fer un currículum en català i no has sabut com fer-ho. Ara te'n presentem un model, amb cada una de les parts que ha de tenir. Intenta fer el teu, seguint el mateix ordre.

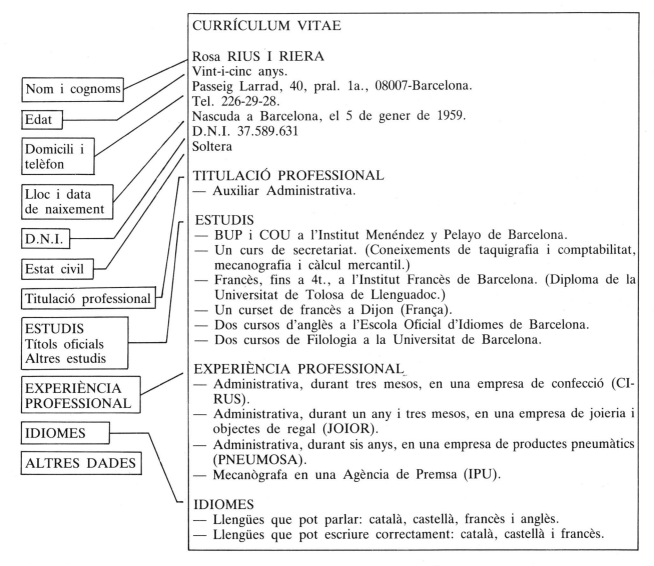

Nom i cognoms

Edat

Domicili i telèfon

Lloc i data de naixement

D.N.I.

Estat civil

Titulació professional

ESTUDIS
Títols oficials
Altres estudis

EXPERIÈNCIA PROFESSIONAL

IDIOMES

ALTRES DADES

CURRÍCULUM VITAE

Rosa RIUS I RIERA
Vint-i-cinc anys.
Passeig Larrad, 40, pral. 1a., 08007-Barcelona.
Tel. 226-29-28.
Nascuda a Barcelona, el 5 de gener de 1959.
D.N.I. 37.589.631
Soltera

TITULACIÓ PROFESSIONAL
— Auxiliar Administrativa.

ESTUDIS
— BUP i COU a l'Institut Menéndez y Pelayo de Barcelona.
— Un curs de secretariat. (Coneixements de taquigrafia i comptabilitat, mecanografia i càlcul mercantil.)
— Francès, fins a 4t., a l'Institut Francès de Barcelona. (Diploma de la Universitat de Tolosa de Llenguadoc.)
— Un curset de francès a Dijon (França).
— Dos cursos d'anglès a l'Escola Oficial d'Idiomes de Barcelona.
— Dos cursos de Filologia a la Universitat de Barcelona.

EXPERIÈNCIA PROFESSIONAL
— Administrativa, durant tres mesos, en una empresa de confecció (CI-RUS).
— Administrativa, durant un any i tres mesos, en una empresa de joieria i objectes de regal (JOIOR).
— Administrativa, durant sis anys, en una empresa de productes pneumàtics (PNEUMOSA).
— Mecanògrafa en una Agència de Premsa (IPU).

IDIOMES
— Llengües que pot parlar: català, castellà, francès i anglès.
— Llengües que pot escriure correctament: català, castellà i francès.

SOLUCIÓ DELS EXERCICIS I TRANSCRIPCIÓ DELS DIÀLEGS

2. — Solució

1) On *va néixer*?
2) Quants *anys té*?
3) Quants *germans té*?
4) A quines *ciutats ha viscut*?
5) Què *ha estudiat*?

6) Qui *li ha buscat pis*?
7) Per què *ha vingut a Barcelona*?
8) On *ha trobat el pis*, la seva tia?
9) Què *ha fet* primer de tot?

5. — DIÀLEG

a) Transcripció i solució

MIQUEL: Endavant!
ALFONSO: Hola, ets en Miquel?
MIQUEL: Sí, passa. M'estava instal·lant.
ALFONSO: Si vols, vinc més tard.
MIQUEL: No, no... Ja estic: Vius aquí? Qui ets, tu? En Toni?
ALFONSO: No. Sóc l'Alfonso.
MIQUEL: Mallorquí, oi?
ALFONSO: Que tinc accent mallorquí, jo?
MIQUEL: No ho sé. Vinc de molt lluny, jo. Em sembla que no.
ALFONSO: És clar que no. Sóc andalús.
MIQUEL: Andalús? Tu ets l'andalús?
ALFONSO: Sóc andalús. Què passa?
MIQUEL: Encantat de coneixe't. Escolta, tu tens accent andalús?
ALFONSO: Només quan vull.
MIQUEL: Ja.
ALFONSO: L'altre, el coneixes?
MIQUEL: Quin altre?
ALFONSO: En Toni. És el mallorquí.
MIQUEL: Només conec la propietària.
ALFONSO: Està boja.
MIQUEL: Jo, és que he arribat d'Amèrica...
ALFONSO: Ah, sí? I per què no tens accent americà?.
MIQUEL: I tu, per què no tens accent andalús?
ALFONSO: Fa dotze anys que visc a Barcelona.
MIQUEL: Els meus pares són catalans.
ALFONSO: De què fas?
MIQUEL: Sóc dibuixant. De còmics. I tu, a què et dediques?
ALFONSO: Faig el taxi. Sóc taxista. Si necessites un taxi, ja ho saps. Et convido als primers viatges. Si vols conèixer Barcelona, aquí tens el teu home. Ets molt jove, estàs sol en una ciutat estranya i necessites protecció. Quina edat tens?
MIQUEL: Vint-i-quatre.
ALFONSO: Jo, trenta-tres. La flor de la vida. Tot arriba, has de tenir paciència...
MIQUEL: Home, estic molt content amb els meus anys...
ALFONSO: I me'n vaig, que m'espera la meva nòvia.

b) **Solució**

	MIQUEL	ALFONSO
Lloc d'origen	*Amèrica (Veneçuela)*	*Andalusia*
Edat	*Vint-i-quatre*	*Trenta-tres anys*
Professió	*Dibuixant de còmics*	*Taxista*
Estat civil	*Solter*	*Solter*
Anys de residència a Barcelona	*Cap. Acaba d'arribar-hi*	*Dotze anys*
Característiques físiques	*Jove. Cabells curts, foscos i una mica arrissats. Ni gras ni prim...*	*Més gran. Cabells llargs, foscos i estirats. Més aviat prim...*
Caràcter (Com te l'imagines?)	*Resposta oberta*	

6. — **Solució**

a) *pèl-roig*
   sec
   tímid

b) *ben plantada*
   extremada
   riallera/trempada

c) *corpulent*
   rialler/trempat
   valent

d) *lletja*
   garrepa
   sorruda

e) *grassa*
   covarda
   poruga

f) *cap pelat*
   assenyat
   seriós

9. — **Transcripció i solució**

MIQUEL: Escolti? Que hi ha la tieta Assumpta? Que s'hi pot posar? Tieta? Em sent? *Sóc en* Miquel... Sí, li truco des del pis... L'habitació? Bé, no està malament... La propietària, l'amiga de *la seva amiga*? També bé, *molt amable*. Una mica estranya. Diuen que *està boja*, però, vaja, bé... Ah, els companys...? Són dos. També bé. *L'un és andalús* i *l'altre mallorquí*. L'un és *més gran que jo* i l'altre, doncs, potser és de la meva edat. De moment no sé encara quin és pitjor, però, vaja, tot perfecte. *L'un és taxista* i *l'altre estudia*. Molt simpàtics, sí. L'un ha dit a l'altre que *semblo idiota*. La propietària, també *molt simpàtica*. Fa por, però simpàtica... Que si estic *content*? Molt!... Que si penso quedar-m'hi? Sí... No ho sé... De moment, la veritat..., no sé pas on m'he ficat...

SOLUCIÓ DELS EXERCICIS ESCRITS

A) **Poseu en pretèrit indefinit o en perfet perifràstic els verbs que hi ha entre parèntesis.**

1) La Maria ....*ha viscut*.... sempre a Cervelló. Hi ....*va néixer*.... l'any 1952. Diu que s'hi està molt bé. (viure, néixer)

2) En Joan ....*ha arribat*.... aquest matí. ....*Va sortir*.... ahir d'Alacant. (arribar, sortir)

3) La família de Paco Contreras es ....*va traslladar*.... a Catalunya l'any 1963. Des de llavors sempre més ....*ha viscut*.... a Badalona. S'hi troba molt bé. (traslladar-se, viure)

4) L'Imma Serra es ....*va casar*.... l'any 1951. Sempre ....*ha treballat*.... de perruquera. Guanya molt. (casar-se, treballar)

5) En Pere Portella ....*va emigrar*.... a Alemanya, però sempre ....*ha volgut*.... tornar a Catalunya, i ara crec que ho farà. (emigrar, voler)

B) **Escriu les paraules següents a la columna que els correspongui:** *pigat, garrepa, assenyat, pèl-roig, sorrut, eixerit, cap pelat, distret, ensopit, envejós, sec, trempat, maco.*

Característiques físiques		Característiques psicològiques	
pigat		*garrepa*	*ensopit*
pèl-roig		*assenyat*	*envejós*
cap pelat		*sorrut*	*sec*
sec		*eixerit*	*trempat*
maco		*distret*	

IDENTIFICACIÓ DE PERSONES
Trets peculiars

Objectius comunicatius

L'objectiu d'aquesta unitat didàctica és d'aprendre a:
— Identificar i descriure algú indicant-ne algun tret peculiar (manera de vestir, manera d'anar pentinat, forma d'alguna part del cos, etc.).
— Descriure algú fent comparacions. Opinar sobre la semblança física i de caràcter de membres d'una mateixa família.

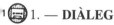 1. — DIÀLEG

Al cap d'uns dies d'haver arribat a Barcelona, en Miquel va a visitar la seva tia Assumpta. Aquesta ha reunit tota la família perquè en Miquel els conegui.

Escolta el diàleg que té en Miquel amb alguns parents seus i respon a les preguntes següents:

1) Qui són aquelles dones que duen un escot tan exagerat?
....

2) Qui és el marit de la Maria Montflor?

3) Qui és el de l'americana de quadres?
....

4) Qui és aquella que duu les celles tan pintades?
....

5) Qui és l'altra que duu les celles pintades?
....

2. — **Escolta novament el diàleg i completa'l.**

MIQUEL: Tu ets la tieta Carolina, oi?
PARENTA: No, jo no sóc la tieta Carolina. La Carolina és
             ....

MIQUEL: ....? La de la faldilla prisada?
PARENTA: No. .... és la Maria Montflor, la
             dona d'aquell que duu el vestit verd i corbatí.
             La Carolina és ....

ASSUMPTA: I la cara grisa. Molt escot, però amb la seva
             cara. Cara grisa i cervell gris.
MIQUEL: Així que aquesta és la tieta Carolina.
ASSUMPTA: Tu escolta'm, a veure si n'aprens
             ....
             és el meu cosí Narcís.
MIQUEL: Ah, em cau molt bé.
ASSUMPTA: Un borratxo. Està casat amb l'Adela, aquella
             ....
MIQUEL: La que va vermella.
ASSUMPTA: .... no sé qui és, franca-
             ment.
PARENTA: Sí, la Lola, una cosina segona de la Carolina:
             l'acompanya sempre. Molt eixerida.
ASSUMPTA: Dic que no sé qui és i no sé qui és. Em carrega
             veure que algú em porta la contrària.
MIQUEL: I aquell que parla amb la Lola, qui és?
ASSUMPTA: Aquell? L'Albert. Una mica poca-solta, però
             bon xicot. És un amic meu.

En el diàleg anterior els personatges s'han identificat segons uns trets peculiars amb expressions com: *La Carolina és* **la de la** *faldilla blava* i amb altres com: *La Carolina és* **aquella** *dona* **que** *duu aquell escot tan exagerat.*

Amb les mateixes expressions es pot demanar la identificació d'algú de qui es coneixen alguns trets.

Exemple: — **Qui és aquell** *senyor* **que** *porta bastó?*
          — **Quin, el del** *barret negre?*
          — *No,* **el de la** *gorra marró.*
          — *És en Ramon.*

QUI *ÉS*	*AQUEST* *AQUELL* *EL*	QUE + SV DE + SN	?	**Qui és aquesta que** *porta l'abric de pells?* **Qui és aquell que** *va negre?* **Qui són aquells que** *porten barba?* **Qui és el de** *l'abric negre?*
QUIN (QUI) '	*AQUEST* *AQUELL* *EL*	QUE + SV *DE + SN*	?	**Quina, aquesta que** *duu ulleres?* **Quin, aquell que** *porta barba?* **Quins, els que** *porten bufanda?* **Quin, el de les** *ulleres?*

Fixa't que en el primer quadre s'utilitza **qui** com a interrogatiu únic ("quién"), en canvi en el segon es poden utilitzar **quin** i **qui** indistintament ("cuál" i "quién").

3. — PRÀCTICA D'ESTRUCTURES

Escolta el diàleg.

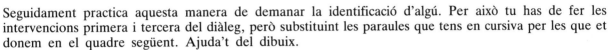
Damià   Ramon

►**Qui és aquell** *senyor* **que** *porta bastó?*
—**Quin, el del** *barret negre?*
►*No,* **el de la** *gorra marró.*
—*És en Ramon.*

Escolta i repeteix el diàleg anterior.

Practica-ho.

Seguidament practica aquesta manera de demanar la identificació d'algú. Per això tu has de fer les intervencions primera i tercera del diàleg, però substituint les paraules que tens en cursiva per les que et donem en el quadre següent. Ajuda't del dibuix.

barret
bastó
cama
cicatriu
cintura
clatell
coll
cua de cavall
dents
espatlles
front
gorra
mitges
patilles
pestanyes
pigues
sabates
trena
turmell
vestit de bany
ample/-a
arrissat/-ada
estret/-a
inflat/-ada
pelat/-ada
pigat/-ada
pla/-ana
anar amb
dur
portar
ser
tenir

primera intervenció		tercera intervenció
… senyor	… bastó	/ … gorra marró
… nena	… pigues	/ … trenes
… noia	… el front ample	/ … dents tan blanques
… noi	… ulleres	/ … cicatriu
… dona	… els turmells inflats	/ … sabates planes
… noia	… cintura tan estreta	/ … vestit de bany rosa
… noi	… el clatell pelat	/ … coll curt

4. — EXERCICI DE PRONUNCIACIÓ

Escolta aquestes dues frases i repeteix-les. Fixa't en la pronunciació de les lletres impreses en negreta.

▶ *Aqu**ell**? Vols dir aqu**ell** que duu les u**ll**eres verme**ll**es?*
▶ *Sí, segur que és aqu**ell** que duu les u**ll**eres verme**ll**es.*

Practica-ho.

Ara practica aquests sons en aquestes frases, però substituint les paraules que tens en cursiva per les del quadre següent:

Aquell? …	ulleres vermelles
Aquell? …	cabells llargs
Aquella? …	collaret de brillants
Aquells? …	armilles lluents
Aquelles? …	faldilles ratllades

5. — DIÀLEG

Dos germans, un noi i una noia, són a l'estació esperant un tren. Arriba un grup d'amigues de la noia, algunes de les quals ella havia convidat a una festa a casa seva.

Escolta el diàleg que tenen els dos germans una mica més tard.

NOI: Qui eren aquelles noies amb qui parlaves?
NOIA: Eren companyes meves de l'institut. L'Ester i la Fina m'han dit que vindrien a la festa de dissabte.
NOI: ....
NOIA: No, aquella era la Fina. L'Ester era la que duia la faldilla groga.
NOI: ....
NOIA: Un vestit més llarg? No sé pas de qui em parles...
NOI: ....
NOIA: Ah, sí... Ja sé qui vols dir. La Mercè i la Irene... Ja t'han agradat, eh?
NOI: ....
NOIA: Ja ho he fet, però no poden venir. A més, ho sento, però ja tenen nòvio.
NOI: ....

Pilar   Adela   Núria   Fina   Sònia   Ester   Eulàlia   Eva   Antònia

Fixa't en la utilització del verb **dur** (= **portar**) en imperfet d'indicatiu: **duia, duies, duia, dúiem, dúieu, duien**.

El verb **dur**, que és de la segona conjugació, fa l'imperfet com els verbs **fer, dir, creure, riure**, etc. Recordeu que alguns d'ells ja s'havien treballat a la unitat 26 de **Digui, digui,...** /1 i en teniu la conjugació en la gramàtica corresponent a aquella unitat (pàg. 272). Tots aquests verbs en imperfet d'indicatiu tenen dues síl·labes: la primera, la del radical, és la tònica, contràriament al que passa en la majoria dels verbs de la 2a. i 3a. conjugació, en què la síl·laba tònica és a la terminació (te**mia**, dor**mia**).

6 ⊞ 6. — EXERCICI DE COMPRENSIÓ

Escolta aquest petit diàleg, en què es demana la identificació d'algú que no està present.

> —**Qui era aquella que duia la brusa de color taronja?**
> ▶**Era** *la Sònia.*

Escolta'l novament i repeteix-lo frase per frase.

Practica-ho.

Ara identifica les noies del dibuix, segons el que sentiràs. Has de fixar-te en les característiques que es donen de cada una d'elles i respondre amb el nom que tenen escrit en el dibuix, com en el model anterior.

7 ⊞ 7. — PRÀCTICA D'ESTRUCTURES

Escolta aquest petit diàleg.

> —**Qui era la Sònia?**
> ▶**Era aquella que duia** *la brusa de color taronja.*

Escolta'l novament i repeteix-lo frase per frase.

Practica-ho.

Ara practica aquesta manera d'identificar algú. Per a això has de fer la intervenció marcada del diàleg, però substituint les paraules que hi ha en cursiva per les del quadre següent:

Sònia	→ brusa color taronja
Pilar	→ pantalons blancs
Adela	→ bossa vermella
Ester	→ faldilla groga
Eulàlia	→ sabates de taló
Núria, Fina, Ester	→ faldilla curta

8. 8. — Escolta de nou el diàleg de l'exercici 5 i completa'l.

9. 9. — **DIÀLEG**

En Miquel és a casa de la tia Assumpta, després de la reunió familiar. Aquesta li ensenya un àlbum de fotografies.

Escolta el diàleg.

En aquest diàleg s'han comparat persones: *El meu pare? Apa, tieta, si no* **ens assemblem** *gens*, i s'ha donat opinions: *... em* **sembla** *que no hi toca.* Fixa't en l'ús i en el significat dels verbs **semblar** i **assemblar-se** segons el quadre següent.

a) *EM* SEMBLA QUE... = *CREC* QUE... *OPINO* QUE...	*Què* **et sembla** *en Narcís?* **Em sembla** que és molt agradable.
b) *SEMBLA* = *TÉ* APARENÇA DE...	*En Narcís* **sembla** *molt agradable.*
c) *S'ASSEMBLEN* = *SÓN* SEMBLANTS ENTRE SI	*En Miquel i el seu pare,* **s'assemblen**? *No, no* **s'assemblen** *gaire.*
d) *S'ASSEMBLA A...* = *ÉS SEMBLANT A...*	*En Miquel* **s'assembla** *al seu pare? No* **s'hi assembla** *gaire.*

El verb **semblar** s'utilitza sempre sense pronom en l'apartat **b** i amb pronom en l'apartat **a**.
El verb **assemblar-se** es conjuga sempre amb pronom.
En l'apartat **d**, el complement del verb **assemblar-se** pren la forma pronominal **hi**. En la frase de l'exemple *No s'***hi** *assembla gaire*, **hi** representa **al seu pare** de la frase interrogativa anterior *En Miquel, s'assembla* **al seu pare**?

Per practicar els diversos significats d'aquests dos verbs, fes els exercicis següents.

10. 10. — **PRÀCTICA D'ESTRUCTURES**

a) Escolta aquest diàleg.

—**Oi que s'assemblen molt al seu pare?**
▶**No, no s'hi assemblen gens.**

Escolta de nou el diàleg i repeteix-lo frase per frase.

Practica-ho.

Ara respon les preguntes de la cassette.

11. b) **PRÀCTICA D'ESTRUCTURES**

Escolta aquest diàleg.

—**Oi que s'assemblen molt, els teus fills?**
▶**No, no s'assemblen gens.**

Escolta de nou el diàleg i repeteix-lo frase per frase.

Practica-ho.

Ara respon les preguntes de la cassette.

12 c) PRÀCTICA D'ESTRUCTURES

Escolta aquest diàleg.

—Aquestes germanes s'assemblen molt.
►Però, a la seva *mare,* no s'hi assemblen gens.

Escolta de nou el diàleg i repeteix-lo frase per frase.

Practica-ho.

Ara fes tu la intervenció marcada substituint *mare* per les altres paraules del quadre.

mare → pare/pares/germans

13 d) PRÀCTICA D'ESTRUCTURES

Escolta aquests dos diàlegs.

—S'assemblen?
►No, no s'assemblen gens.

—M'assemblo al meu avi?
►No, no t'hi assembles gens.

Escolta de nou els diàlegs i repeteix-los frase per frase

Practica-ho.

Ara respon les preguntes tenint en compte que en alguns casos hauràs d'utilitzar el pronom **hi** i en d'altres no, igual que en els dos diàlegs model.

14 e) PRÀCTICA D'ESTRUCTURES

Escolta aquests dos diàlegs.

—En Pere i en Joan són germans.
►Sí, s'assemblen molt.

—En Pere i en Joan són germans.
►Sí, però no ho semblen.

Escolta de nou els diàlegs i repeteix-los frase per frase.

Practica-ho.

Ara completa els diàlegs següents tenint en compte que hi ha dos models diferents, l'un amb el verb **assemblar-se** i l'altre amb el verb **semblar**.

—En Lluís i jo som cosins.
—Sí .... molt.

—En Ricard és molt intel·ligent.
—Doncs no ho ....

—L'Enric és l'home de la Núria.
—Però si .... el seu pare!

—La Mercè i jo som cosines.
—Però no .... gaire.

15 ⊙ 11. — Escolta de nou el diàleg entre en Miquel i la seva tia (9 ⊙) i fixa't en les frases fetes que hi ha a la banda dreta del quadre de l'exercici **a**, el significat de les quals ve donat per alguna explicació anterior o posterior en el mateix diàleg:

a) Uneix amb fletxes les frases de la dreta i les de l'esquerra que tinguin el mateix significat.

1. Sembla que no hagi trencat mai cap plat.	a. Els fills són iguals que els seus pares.
2. S'assemblen com un ou amb una castanya.	b. S'assemblen molt.
3. Els testos s'assemblen a les olles.	c. No s'assemblen gens.
4. Sembla que vingui de l'hort.	d. Sembla bona persona.
5. S'assemblen com dues gotes d'aigua.	e. És molt distret.
6. Sembla que no hi toqui.	f. Sembla beneit.

b) Completa les frases començades amb una de les frases fetes que has vist anteriorment.

1. En Narcís ....
2. Tant el pare com el fill són uns borratxos. És clar, ...
3. Les cosinetes Gomis ....
4. Tant la mare com les filles Gomis ....
5. El pare d'en Narcís ....
6. En Miquel creu que ell i el seu pare ....

12. — Llegeix el text i busca en el diccionari el significat de les paraules que hi ha en cursiva.

«El rostre del senyor Moll és rosat i presenta un aspecte alegre. Són brillants els ulls blaus que obre desmesurada-ment quan parla. El front és espaiós, i d'un gris *blanqui-nós* els cabells. El nas, *la barbeta* i la boca són més aviat llargs. Porta *armilla* i rarament *es corda* l'americana, que *voleia* en caminar.

És cordial, en Francesc de B. Moll, i la seva franquesa reconeguda no el priva d'una reserva cauta, una prudència en el dir i en el fer que, si no es manifesta exteriorment, es troba *al bell mig* de totes les seves empreses. Les quals, per *arriscades* que hagin estat, no han fracassat mai (...). Em convida a fumar, al senyor Francesc, traient-se un paquet *aixafat, masegat*, de la butxaca interior de l'ameri-cana. Declino (...) Ell encén una cigarreta: tampoc no és fumador, però amb les visites *de compliment* li sembla que cal convidar-les a fumar (...). L'agafa amb la punta dels dits, no aspira el fum. Com a fumador, el senyor Moll no té ni audàcia ni prudència. És una calamitat total».

Baltasar Porcel, *Les Illes, encantades*. Ed. 62 (col. Cultura Catalana Contemporània) Barcelona, 1984.

LÈXIC, EXPRESSIONS I FRASES FETES

Substantius

barbeta *f barbilla*
cervell *m cerebro/seso*
cicatriu *f cicatriz*
cintura *f cintura*
clatell *m cogote*
galtes *f mejillas*
patilles *f patillas*
piga *f peca*
rostre *m rostro*
trena *f trenza*
turmell *m tobillo*
armilla *f chaleco*
bastó *m bastón*
bufanda *f bufanda*
cinturó *m cinturón*

cua de cavall *f cola de caballo*
escot *m escote*
espardenyes *f alpargatas*
gorra *f gorra/gorro*
mitges *f medias*
paraigua *m paraguas*
sivella *f hebilla*
vestit de bany *m traje de baño*

Adjectius

beneit/-a *tonto*
blanquinós/-osa *blanquecino*
brillant *brillante*
de brillants *de brillantes*
de coloraines *de colorines*
cordial *cordial*

estampat/-ada *estampado*
exagerat/-ada *exagerado*
lluent *brillante*
mudat/-ada *bien vestido*
pigat/-ada *pecoso*
prisat/-ada *plisado*
de quadres *a cuadros*
ratllat/-ada *rayado*
de ratlles *a rayas*
de taló *de tacón*
de tires *de tiras*
de vetes *de cintas*.

Verbs

anar (vestit) amb *ir (vestido) con*
assemblar-se *parecerse*
cordar *abrochar*
descordar *desabrochar*
portar (posat) *llevar (puesto)*
semblar *parecer*

Expressions i frases fetes

caure bé/malament *caer bien/mal*
carregar (fig.) *cargar*
Els testos s'assemblen a les olles *De tal palo, tal astilla*
S'assemblen com dues gotes d'aigua *Se parecen como dos gotas de agua*
Sembla que no hagi trencat mai cap plat *Es como si nunca hubiera roto un plato*
Sembla que vingui de l'hort *Parece que esté en la higuera*
(Sembla que) no hi toca *(Parece que) chochea, le falta un tornillo*

EXERCICIS ESCRITS

A) **Completa les frases següents amb els verbs que calgui.**

1 — La Roser era la que sempre .... molts collarets.
2 — Tu eres aquell que .... bigoti?
3 — Jo era aquella que .... amb una sola arracada.
4 — La Núria era aquella que .... moltes pigues.
5 — En Jaume era el que .... sempre amb corbata.

B) **Ordena les paraules següents de manera que puguis confeccionar una frase, tenint en compte que cal fer la concordança de gènere i nombre amb la paraula en cursiva, quan sigui necessari.**

Exemple: *noies* / són / Qui / verd / una / duen / brusa / aquell / que /?
Qui *són aquelles noies que duen una brusa verda?*

1 — S'assemblen / *nenes* / molt / Aquell
....

2 — difícil / Aquest / *exercicis* / semblen / molt
....

3 — *mare* / s'assembla / L' / no / Eduard / gaire / seu / la / a
....

4 — gens / Jo / que / s'hi / trobo / no / assembla
....

5 — estranger / sembla / Qui / aquell / és / que / ?
....

6 — mi / que / A / Lluís / en / Andreu / l' / em / sembla / cosí / són / i
....

SOLUCIÓ DELS EXERCICIS I TRANSCRIPCIÓ DELS DIÀLEGS

1. — DIÀLEG

Solució

1) — Qui són aquelles dones que duen un escot tan exagerat?
 — *La que duu/porta la faldilla blava és la tieta Carolina i la que porta/duu la faldilla prisada és la Maria Montflor.*
2) — Qui és el marit de la Maria Montflor?
 — *És el que porta un vestit verd i corbatí.*
3) — Qui és el de l'americana de quadres?
 — *És en Narcís, el cosí de la tieta Assumpta.*
4) — Qui és aquella que duu les celles tan pintades?
 — *És l'Adela, la dona d'en Narcís/És la Lola, la cosina segona de la Carolina.*
5) — Qui és l'altra que duu les celles pintades?
 — *És la Lola, la cosina segona de la Carolina/És l'Adela, la dona d'en Narcís.*

2. — DIÀLEG

Transcripció i solució

MIQUEL:	Tu ets la tieta Carolina, oi?
PARENTA:	No, jo no sóc la tieta Carolina. La Carolina és *aquella dona que duu aquell escot tan exagerat.*
MIQUEL:	*Quina?* La de la faldilla prisada?
PARENTA:	No. *La de la faldilla prisada* és la Maria Montflor, la dona d'aquell que duu el vestit verd i corbatí. La Carolina és *la de la faldilla blava.*
ASSUMPTA:	I la cara grisa. Molt escot, però amb la seva cara. Cara grisa i cervell gris.
MIQUEL:	Així que aquesta és la tieta Carolina.
ASSUMPTA:	Tu escolta'm, a veure si n'aprens. *El de l'americana de quadres i les galtes vermelles* és el meu cosí Narcís.
MIQUEL:	Ah, em cau molt bé.
ASSUMPTA:	Un borratxo. Està casat amb l'Adela, aquella *noia que duu les celles pintades com una mona.*
MIQUEL:	La que va vermella.
ASSUMPTA:	*La que va vermella* no sé qui és, francament.
PARENTA:	Sí, la Lola, una cosina segona de la Carolina: l'acompanya sempre. Molt eixerida.
ASSUMPTA:	Dic que no sé qui és i no sé qui és. Em carrega veure que algú em porta la contrària.
MIQUEL:	I aquell que parla amb la Lola, qui és?
ASSUMPTA:	Aquell? L'Albert. Una mica poca-solta, però bon xicot. És un amic meu.

8. — DIÀLEG

Transcripció i solució

NOI:	Qui eren aquelles noies amb qui parlaves?
NOIA:	Eren companyes meves de l'institut. L'Ester i la Fina m'han dit que vindrien a la festa de dissabte.
NOI:	*L'Ester, qui era? La que duia espardenyes de vetes?*
NOIA:	No, aquella era la Fina. L'Ester era la que duia la faldilla groga.

NOI: *I aquelles altres dues que duien el vestit més llarg, qui eren?*

NOIA: Un vestit més llarg? No sé pas de qui em parles...

NOI: *Sí dona. Aquelles que duien un cinturó molt exagerat.*

NOIA: Ah, sí... Ja sé qui vols dir. La Mercè i la Irene... Ja t'han agradat, eh?

NOI: *Sí, no estaven malament. Per què no les has convidat, també?*

NOIA: Ja ho he fet, però no poden venir. A més, ho sento, però ja tenen nòvio.

NOI: *És igual. No sóc pas gelós, jo.*

9. — DIÀLEG

Transcripció

ASSUMPTA: Vine, Miquel, que t'ensenyaré tota aquesta parentela. Mira, veus aquestes nenes que s'assemblen com dues gotes d'aigua? Doncs són les cosinetes Gomis.

MIQUEL: Sí, s'assemblen molt.

ASSUMPTA: Sí, eren iguals que la seva mare i encara ho són. *Sembla que no hagin trencat mai cap plat.*

MIQUEL: Sí, *fan cara de bones noies.*

ASSUMPTA: Sí, fia-te'n. A veure si saps qui és *aquest que sembla que vingui de l'hort?*

MIQUEL: Qui? *Aquest que està tan distret?* No ho sé pas.

ASSUMPTA: És en Narcís.

MIQUEL: Qui? Aquell que m'ha caigut tan bé? Oh, no s'hi assembla gens!

ASSUMPTA: Sí, aquell que t'he dit que era un borratxo. *És igual que el seu pare. És clar que els testos s'assemblen a les olles.*

MIQUEL: Qui era el seu pare?

ASSUMPTA: No hi era pas, avui. No ha vingut perquè em sembla que *no hi toca.* Mira, veus? *És aquest* del racó *amb cara de beneit...* I aquest que va tan mudat, saps qui és?

MIQUEL: Doncs... em sembla que no el conec.

ASSUMPTA: Sí home, si t'hi assembles molt!

MIQUEL: Jo?

ASSUMPTA: Sí, tu! Que no ho veus, que és el teu pare?

MIQUEL: El meu pare? Apa, tieta, si *no ens assemblem gens.*

ASSUMPTA: Oh, i tant si us assembleu!

MIQUEL: Sí, *ens assemblem com un ou amb una castanya.*

11. — a) Solució

1. Sembla que no hagi trencat mai cap plat. — a. Els fills són iguals que els seus pares.

2. S'assemblen com un ou amb una castanya. — b. S'assemblen molt.

3. Els testos s'assemblen a les olles. — c. No s'assemblen gens.

4. Sembla que vingui de l'hort. — d. Sembla bona persona.

5. S'assemblen com dues gotes d'aigua. — e. És molt distret.

6. Sembla que no hi toqui. — f. Sembla beneit.

11. — b) **Solució**

---

1. En Narcís .... *sembla que vingui de l'hort.* ....

2. Tant el pare com el fill són uns borratxos. És clar, ... *els testos s'assemblen a les olles.* ....
....

3. Les cosinetes Gomis .... *s'assemblen com dues gotes d'aigua.* ....

4. Tant la mare com les filles Gomis .... *sembla que no hagin trencat mai cap plat.* ....
....

5. El pare d'en Narcís .... *sembla que no hi toca.* ....

6. En Miquel creu que ell i el seu pare .... *s'assemblen com un ou amb una castanya.* ....

SOLUCIÓ DELS EXERCICIS ESCRITS

A) **Completa les frases següents amb els verbs que calgui.**

1 — La Roser era la que sempre *duia/portava* molts collarets.
2 — Tu eres aquell que *portaves/duies* bigoti?
3 — Jo era aquella que *anava* amb una sola arracada.
4 — La Núria era aquella que *tenia* moltes pigues.
5 — En Jaume era el que *anava* sempre amb corbata.

B) **Ordena les paraules següents de manera que puguis confeccionar una frase, tenint en compte que cal fer la concordança de gènere i nombre amb la paraula en cursiva, quan sigui necessari.**

Ex. *noies* / són / Qui / verd / una / duen / brusa / aquell/que /?
Qui són aquelles noies que duen una brusa verda?

1) S'assemblen / *nenes* / molt / Aquell
   Aquelles nenes s'assemblen molt.
2) difícil / Aquests / *exercicis* / semblen / molt
   Aquests exercicis semblen molt difícils.
3) *mare* / s'assembla / L' / no / Eduard / gaire / seu / la / a
   L'Eduard no s'assembla gaire a la seva mare.
4) gens / Jo / que / s'hi / trobo / no / assembla
   Jo trobo que no s'hi assembla gens.
5) estranger / sembla / Qui / aquell / és / que /?
   Qui és aquell que sembla estranger?
6) mi / que / A / Lluís / en / Andreu / l' / em / sembla / cosí / són / i
   A mi em sembla que en Lluís i l'Andreu són cosins.

COSTUMS I HÀBITS PERSONALS

Contrast entre el present i el passat

Objectius comunicatius

L'objectiu d'aquesta unitat didàctica és aprendre a:

— Intercanviar informació personal pel que fa a costums, hàbits i activitats quotidianes en el present i en el passat.

— Demanar i donar informació sobre el comportament de terceres persones.

— Explicar fets i esdeveniments que afecten terceres persones.

---

1. — Escolta el diàleg que tenen en Miquel i en Toni i contesta aquestes preguntes:

    1) Què solia fer en Toni quan era petit?
    2) Què sol fer en Miquel a la tarda?
    3) A quina hora sol llevar-se?
    4) On sol anar en Miquel a la tarda?
    5) A quina hora sol anar a dormir?
    6) Què solia fer a Veneçuela?
    7) Quina diferència hi ha entre el que acostumava a fer abans i el que acostuma a fer ara?

En el diàleg que acabes d'escoltar has pogut comprovar que en Miquel i en Toni s'intercanvien informació personal sobre les seves activitats quotidianes; concretament en Miquel ens diu el que fa habitualment i ho compara amb el que feia a Veneçuela: *No* **acostumo a** *sortir gaire*; *a Caracas* **solia** *sortir més.*

Per expressar que fem o fèiem habitualment una acció usem el present o l'imperfet d'indicatiu, respectivament, però també podem fer servir un d'aquests tres verbs: **Soler + inf, acostumar a + inf, estar acostumat a + inf**, en present o bé en imperfet, segons si fem referència a una acció present o bé a una acció passada. El present i l'imperfet del verb **acostumar** es fa com qualsevol altre verb regular de la primera conjugació; el present i l'imperfet del verb **soler**, els tens apuntats en aquest quadre:

Present	Imperfet
SOLER	**SOLER**
solc	solia
sols	solies
sol	solia
solem	solíem
soleu	solíeu
solen	solien

Ex. *Abans en Joan* **solia anar a ballar** *cada diumenge, ara* **sol quedar-se** *a casa.*
Abans **acostumàvem a anar a veure** *els meus pares el dissabte, ara* **acostumem a anar-hi** *el dijous.*

ABANS	*SOLIA...* *ACOSTUMAVA A...* *ESTAVA ACOSTUMAT A...*	**Solia passejar** *molt.* **Acostumava a anar** *al cine cada dissabte.* **Estava acostumat a prendre** *cafè després de dinar.*
(ARA)	*SOL...* *ACOSTUMA A...* *ESTÀ ACOSTUMAT A...*	**Sol llevar-se** *d'hora.* **Acostuma a sortir** *amb els amics.* **Està acostumat a llegir** *el diari havent dinat.*

2. — **Completa aquestes frases amb l'imperfet del verb** *SOLER* **conjugat en la persona que convingui:**

a) Quan érem petits .... barallar-nos amb els nens del barri.
b) Abans per entrenar-me, ... nedar dues hores diàries.
c) Els nens del meu barri .... enfilar-se als arbres per robar pomes.
d) Què .... fer, quan éreu joves?
e) L'estiu passat, tots els nois .... venir aquí a jugar a bitlles.
f) La meva àvia .... explicar-me contes abans d'anar-me'n al llit.
g) Abans tenia el costum d'anar al cafè havent sopat; ens trobàvem una colla i .... jugar al dòmino.

2 🔲 3. — **PRÀCTICA D'ESTRUCTURES**

Escolta

▶ **Ara sol llevar-se d'hora, però abans solia** *llevar-se* **tard.**

▶ **Ara acostuma a anar a dormir aviat, però abans acostumava a anar a** *dormir* **tard.**

Escolta i repeteix

Practica-ho.

Completa les frases seguint el model anterior.

— Ara acostumo a dinar a l'empresa, però abans .... a casa meva.

— En Ramon abans solia sortir amb els amics, però ara .... amb la seva dona.

— Abans solíem anar al cine molt sovint, però ara no ....-hi gaire.

— Nosaltres, quan érem petits, acostumàvem a jugar a fet i amagar. Els nens d'ara, en canvi, ... amb màquines elèctriques.

— Jo abans acostumava a mirar la TV cada dia, però ara .... només els caps de setmana.

— La Mercè abans solia fumar un paquet de cigarrets diaris, però ara només .... cinc o sis cigarrets al dia.

— Ara no acostumem a anar a ballar gaire, però abans ....-hi molt sovint.

3 🔊 4. — DIÀLEG

Dues senyores parlen dels veïns de l'escala mentre estenen la roba.
Escolta el diàleg i completa'l.

MARIA: Bon dia, Roser.
ROSER: Bon dia, Maria.
MARIA: Què, plourà o no plourà?
ROSER: Em sembla que no, això que ja convindria, ja...
MARIA: Escolta ... què se'n sap, del fill de la Carme?
ROSER: Ah, no ho saps? ....
....
....

MARIA: Ai sí!, tan jove!
ROSER: Sí, noia. I la seva filla, ...
....
MARIA: De debò? No m'ho puc creure!
ROSER: Ja ho crec! Pobre Carme! Però no tot són penes, dona ....
....
MARIA: Sí, ja ho sabia... Què, va anar tot bé?
ROSER: .... Ha tingut una nena ben maca: va pesar quatre quilos.
MARIA: Què dius, ara! Me n'alegro molt! El teu fill encara no ha trobat feina?
ROSER: No, encara no. Està desesperat ....
....
MARIA: Ah, i saps que la Joana i en Rossend...

Per donar informació sobre fets i esdeveniments que afecten terceres persones podem utilitzar les fórmules següents:

M'HAN DIT QUE... + indef	**M'han dit que** *la Marta s'ha casat.*
EM VAN DIR QUE... + plusq	**Em van dir** *que la Neus havia caigut.*
ES VEU QUE... + indef	**Es veu que** *en Pere i la Rosa s'han separat.*
SAPS QUE... + indef?	**Saps que** *en Carles s'ha trencat una cama?*
SABIES QUE... + indef/plusq?	**Sabies que** *havien operat la meva mare?*

Fixa't que així com les fórmules **M'han dit que***...,* **Saps que***...? i* **Es veu que***... demanen un verb en passat indefinit, les fórmules* **Em van dir que***... i* **Sabies que***...? demanen el verb en passat plusquamperfet.**

(*) Quan **Sabies que**...? és usat en sentit de present (= **Saps que**...?) requerirà, igualment, un verb en passat indefinit.

5. — PRÀCTICA D'ESTRUCTURES

Escolta i repeteix

> — La Isabel se n'ha anat a viure a Sabadell.
> — M'han dit que la Isabel se n'ha anat a viure a Sabadell.
> — Saps que la Isabel se n'ha anat a viure a Sabadell?
> — Sabies que la Isabel se n'havia anat a viure a Sabadell?
> — Es veu que la Isabel se n'ha anat a viure a Sabadell.

Practica-ho

A partir de les frases que tens escrites, fes-ne quatre més seguint el model anterior.

> —Han operat el fill de la Carme.
> —L'Enric ha acabat la mili.
> —La Mercè ha trobat feina en un hospital.

6. — PRONUNCIACIÓ

Escolta aquest diàleg. Fixa't en la pronunciació de les lletres impreses en negreta.

> ▶—*Saps qui s'ha casat.*
> —*Qui?*
> ▶—*En Jesús Cases.*

Escolta i repeteix

Practica-ho
Reprodueix les intervencions que hi ha marcades, però fent les substitucions que s'indiquen en el requadre.

Jesús Cases →	*Roser Casadavall / Rosa Casadamunt/ Josep Pèsols/Isidre Rosalia*

El pretèrit plusquamperfet d'indicatiu es forma amb l'imperfet del verb haver + participi:

Pretèrit plusquamperfet

havia havies havia havíem havíeu havien	PART

Fixa't també que les dues veïnes fan servir expressions tals com:
De debò? *¿De veras?*, No m'ho puc creure! *¡No me lo puedo creer!,* Ja ho crec! *¡Ya lo creo!,* Sí, ja ho sabia *Sí, ya lo sabía,* Què dius, ara! *¡Qué me dices!*
Les expressions De debò?, *¿De veras?,* De veritat?, *¿De verdad?,* Vols dir? *¿Estás seguro?* s'utilitzen per expressar dubte o sorpresa, segons l'entonació.
Les expressions No m'ho puc creure, *¡No me lo puedo creer!,* No pot ser!, *¡No puede ser!* s'utilitzen per expressar escepticisme o sorpresa segons l'entonació. L'expressió Què dius, ara!, *¡Qué me dices!* per expressar sorpresa i Ja ho sabia, *Ya lo sabía,* o No ho sabia, *No lo sabía* per expressar coneixement o ignorància d'un fet respectivament.

6 🚌 7. — DIÀLEG

La Neus va a veure una amiga seva.

Escolta el diàleg i omple els espais buits d'acord amb el que sentiràs.

NEUS: Ell ja sabia que .... amb la Carme per anar al cine i jo .... amb ella que ens trobaríem a l'entrada del cine. Doncs, sí? El nen .... i jo no sabia on anar-lo a buscar perquè .... amb no sé qui per negocis —sort que era el seu dia lliure!— i que ja vindria directament cap al cine.

ANNA: I com es va acabar?

NEUS: Sí, res. Amb la Carme vam decidir d'anar-hi un altre dia, i l'Alfonso, quan ens va veure, saps què ens va dir? .... d'alguna cosa. Però és que la setmana passada va fer igual. I pensar que abans ...., que no .... mai plantada, que els dies que ell tenia lliure .... fora de Barcelona, que de tant en tant .... de comprar-me un ramet de flors; i ara, ja ho veus... Però et juro que la paciència se m'acaba.

7 🎧 ## 8. — DIÀLEG

El senyor Ortega, cap de personal d'una empresa, telefona al senyor Quintana per demanar informes sobre el senyor Mateu Mora.

Escolta el diàleg i digues quines qualitats, de les que tens apuntades en aquest quadre, saps segur que posseeix el senyor Mateu Mora. Marca-les amb una creu.

És dinàmic.	
És jove	
Té experiència.	
És enèrgic.	
És responsable.	
És elegant.	
És seriós.	
Sap idiomes.	
És eficient.	
Té iniciativa.	

8 🎧 ## 9. — COMPRENSIÓ

Marca amb una creu la feina que creus que té aquest personatge que sentiràs.

taxista ☐ professor ☐

cambrer ☐ viatjant ☐

perruquer ☐ pallasso ☐

LÈXIC, EXPRESSIONS I FRASES FETES

Verbs
barallar-se	*pelearse*
caure	*caerse*
enfilar-se	*subirse*
nedar	*nadar*
separar-se	*separarse*

Substantius
bitlles	*f*	*bolos*
conte	*m*	*cuento*
costum	*m*	*costumbre*

Expressions adverbials
havent dinat/sopat *después de comer/de cenar*
un cop per setmana *una vez por semana*
cada dia/tarda... *todos los días/todas las tardes*
de tant en tant *de vez en cuando*
algun cop *alguna vez*
a/de vegades *a veces*
els caps de setmana *los fines de semana*
sovint *a menudo*

Expressions i frases fetes
Vols dir? *¿Tú crees?*
De debò? *¿De veras? ¿De verdad?*
De veritat? *¿De veras? ¿De verdad?*
No pot ser! *¡No puede ser!*
No m'ho puc creure! *¡No me lo puedo creer!*
Ja ho sabia *Ya lo sabía*
No ho sabia *No lo sabía*
Què dius, ara! *¡Qué dices!*

EXERCICIS ESCRITS

A) **Fes el participi de cadascun dels verbs que tens a la columna de l'esquerra i col·loca'l al lloc que li correspongui.**

	-ÈS	-GUT	-ET	-UT
SUSPENDRE	suspès			
CAURE		caigut		
TREURE			tret	
SABER				sabut
ENTENDRE				
COMPRENDRE				
SEURE				
REBRE				
ENCENDRE				
PODER				
NÉIXER				
RIURE				
FER				
MOURE				
BEURE				
VENDRE				

B) **Completa el quadre següent segons l'exemple:**

			ABANS	ARA	
Ex. **Anar** *molt al cine.*		JO	**Anava** *molt al cine.*	**Vaig** *molt al teatre.*	Ex. **Anar** *molt al teatre.*
a	*Beure sempre cafè.*	ELL			*Beure te.*
b	*Sortir sovint amb els amics.*	NOS.			*Quedar-se sempre a casa.*
c	*Suspendre les matemàtiques.*	ELLA			*Suspendre la física.*
d	*Fer ioga*	VOS.			*Jugar a tennis.*
e	*Plorar tot el dia.*	El nen			*Riure sempre.*
f	*Servir-ho a domicili*	ELLS			*Enviar-ho per correu.*

C) **Recordes els teus jocs d'infantesa?**
   Escriu a sota de cada un dels dibuixos el nom de la joguina (o del joc) que representen.

a ☐☐☐☐☐☐ b ☐☐☐☐☐ c ☐☐☐☐☐ d ☐☐☐☐☐ e ☐☐☐☐☐

f ☐☐☐☐ g ☐☐☐☐☐☐ h ☐☐☐☐☐ i ☐☐☐☐☐ j ☐☐☐☐☐

SOLUCIÓ DELS EXERCICIS I TRANSCRIPCIÓ DELS DIÀLEGS

1. — DIÀLEG

Transcripció

TONI: Hola. Puc passar?
MIQUEL: Endavant, endavant.
TONI: Com estàs? Jo, fantàstic, gràcies. No molesto, oi?
MIQUEL: Suposo que no.
TONI: Què fas?
MIQUEL: Ordeno dibuixos per dur-los a una editorial.
TONI: L'Alfonso no m'ha dit que dibuixaves. Saps que no estan malament?
MIQUEL: Tu hi entens molt, oi?
TONI: Sí, quan era petit acostumava a llegir tebeos. Està bé, noi, està bé... Canviar de país i buscar feina nova pot ser interessant. Aquell m'ha dit que vivies a Veneçuela. Penses quedar-te aquí tota la vida?
MIQUEL: Abans pensava quedar-me potser tota la vida. Ara penso quedar-me potser tres mesos.
TONI: De debò?
MIQUEL: O menys.
TONI: I què? T'agrada, Barcelona? Bon ambient, oi?
MIQUEL: No ho sé.
TONI: Què vols dir? No la coneixes, encara?
MIQUEL: No gaire.
TONI: I doncs? Què fas durant el dia?
MIQUEL: Acostumo a llevar-me molt tard.
TONI: I què sols fer a la tarda?
MIQUEL: Treballo. Treballo molt aquí amb els meus dibuixos.
TONI: Ui, noi, quin avorriment! I no surts mai?
MIQUEL: No, no acostumo a sortir gaire... De tant en tant vaig al cine o a donar un volt, però no surto gaire. Molts dies em quedo aquí a dibuixar fins tard. Estic acostumat a anar a dormir tard.
TONI: I a Caracas també feies el mateix?
MIQUEL: No, a Caracas solia sortir més. M'agrada molt la música, anava sovint a escoltar concerts de jazz. Quan feia bon temps solia anar a la platja a fer "surf", i també acostumava a sortir amb els amics, a prendre una copa o al cine..., jo què sé..., a fer qualsevol cosa.
TONI: Ara, ja ho entenc, el que et passa és que estàs sol. Que no hi tens parents, aquí?
MIQUEL: Sí. Procuro no veure'ls gaire.

Solució

1) Acostumava a llegir tebeos.
2) Treballa molt en els seus dibuixos.
3) Acostuma a llevar-se molt tard.
4) De tant en tant va al cine o a donar un volt.
5) Acostuma a anar a dormir tard.
6) Anava sovint a escoltar concerts de jazz. Quan feia bon temps solia anar a la platja a fer "surf", acostumava a sortir amb els amics a prendre una copa o al cine.
7) Abans sortia més que no pas ara.

2. — Solució

a) solíem b) solia c) solien d) solíeu e) solien f) solia g) solíem

4. — DIÀLEG

Transcripció i solució

MARIA: Bon dia, Roser.
ROSER: Bon dia, Maria.
MARIA: Què, plourà o no plourà?
ROSER: Em sembla que no, això que ja convindria, ja...
MARIA: Escolta... què se'n sap, del fill de la Carme?
ROSER: Ah, no ho saps?... *M'han dit que l'han d'operar, pobre noi! Qui ho havia de dir!*
MARIA: Ai sí!, tan jove!
ROSER: Sí, noia. I la seva filla, *m'ha dit que se n'havia anat a viure a Alemanya.*
MARIA: De debò?
ROSER: Ja ho crec! Pobra Carme!... Però no tot són penes, dona... *Sabies que la seva jove ha tingut una nena?*
MARIA: Sí, ja ho sabia... Què, va anar tot bé?
ROSER: *Sí, es veu que sí.* Ha tingut una nena ben maca: va pesar quatre quilos.
MARIA: Què dius, ara! Me n'alegro molt! El teu fill encara no ha trobat feina?
ROSER: No, encara no. Està desesperat... *A veure si en troba aviat.*
MARIA: Ah, i saps que la Joana i en Rossend...

7. — DIÀLEG

Transcripció i solució

ANNA: Vols una altra cervesa?
NEUS: No, ja en tinc prou. Qui són aquests que canten?
ANNA: Els Rolling Stones. T'agraden?
NEUS: Sí... encara que el rock no em diu gran cosa.
ANNA: Ja veig que no t'agraden. Quin disc vols que et posi?
NEUS: Ja m'està bé. A veure si així m'animo.
ANNA: Què, ja t'has tornar a barallar amb l'Alfonso?
NEUS: Com ho saps?
ANNA: No s'ha de ser pas gaire intel·ligent per endevinar-ho.
NEUS: Et juro que un dia d'aquests l'engegaré a la fresca. Ja n'estic ben tipa.
ANNA: De debò? No m'ho crec.
NEUS: Tens raó, noia. Però saps quina una me'n va fer ahir?
ANNA: Ja no sé què dir-te.
NEUS: Ell ja sabia que *havíem quedat* amb la Carme per anar al cine i jo *havia quedat* amb ella que ens trobaríem a l'entrada del cine. Doncs, sí? El nen *no s'hi va presentar* i jo no sabia on anar-lo a buscar perquè *m'havia dit que s'havia de trobar* amb no sé qui, per negocis —sort que era el seu dia lliure!— i que ja vindria directament cap al cine.
ANNA: I com es va acabar?
NEUS: Sí, res. Amb la Carme vam decidir d'anar-hi un altre dia, i l'Alfonso, quan ens va veure, saps què em va dir? *Que ja sabia que s'havia oblidat* d'alguna cosa. Però és que la setmana passada va fer igual. I pensar que abans *solia ser puntual*, que no *m'havia deixat* mai plantada, que els dies que ell tenia lliure *acostumàvem a sortir* fora de Barcelona, que de tant en tant *tenia el detall* de comprar-me algun ramet de flors; i ara, ja ho veus... Però et juro que la paciència se m'acaba.
ANNA: I per què no ho deixes estar?
NEUS: Deixar-ho estar? Et juro que aquest es casa amb mi, encara que l'hagi d'arrossegar a la rectoria agafat d'una orella.

8. — DIÀLEG

Transcripció

SECRETÀRIA: Senyor Quintana li passo una trucada del senyor Ortega.
QUINTANA: Molt bé.
ORTEGA: Quintana?
QUINTANA: Sí, sí... Digues.
ORTEGA: Ja m'has enviat l'informe del senyor Mateu Mora?
QUINTANA: Sí, mira, ara mateix acabo de passar-lo a la meva secretària i segurament que demà el tindràs.
ORTEGA: I què, creus que és prou bon element per al càrrec que ha d'assumir?
QUINTANA: Sens dubte que sí. Vaja, ja veuràs que el seu currículum és brillant, i et puc assegurar que és un home responsable, eficient i que té molts anys d'experiència en aquest tipus de feina.
ORTEGA: Més bones referències no me'n podies donar.
QUINTANA: Jo penso que és la persona més adequada, i una altra cosa que té és una gran capacitat d'iniciativa. I això és el que us convé, oi?
ORTEGA: Oh, i tant! Bé, quan sàpiga alguna cosa segura, de seguida t'ho faré saber. Gràcies per tot.
QUINTANA: De res. Records a la teva dona.
ORTEGA: Igualment. Adéu.
QUINTANA: Adéu. Bon dia.

Solució

És dinàmic.	
És jove.	
Té experiència.	X
És enèrgic.	
És responsable..	X
És elegant.	
És seriós.	
Sap idiomes.	
És eficient.	X
Té iniciativa.	X

9. — COMPRENSIÓ

Transcripció

Estic molt content de la feina que faig perquè constantment he de tractar amb el públic i això, ja de molt petit, m'agradava, i a més, el públic que tracto és molt agraït: tot el que faig li està bé o gairebé tot. A quina hora començo a treballar? Doncs començo a les sis, però hi he de ser molt abans perquè he de preparar-m'ho tot. Tardo molt a vestir-me i a arreglar-me, jo, i ja sap que l'aspecte físic és molt important en la meva feina.
Acostumem a plegar a les vuit, quarts de nou; sopo una miqueta amb els meus companys de feina i a les deu m'hi torno a posar i fins a les dotze, quarts d'una no plego. Veu, hi ha una cosa de la meva feina que no m'agrada gaire i és que voltem molt: un dia som aquí, un altre dia som allà, però en fi a la llarga t'hi acabes acostumant.

Solució   ☒ pallasso.

EXERCICIS ESCRITS

1) **Fes el participi de cadascun dels verbs que tens a la columna de l'esquerra i col·loca'l al lloc que li correspongui.**

	-ÈS	-GUT	-ET	-UT
SUSPENDRE	suspès			
CAURE		caigut		
TREURE			tret	
SABER				sabut
ENTENDRE	entès			
COMPRENDRE	comprès			
SEURE		segut		
REBRE				rebut
ENCENDRE	encès			
PODER		pogut		
NÉIXER				nascut
RIURE		rigut		
FER			fet	
MOURE		mogut		
BEURE		begut		
VENDRE				venut

B) **Completa el quadre següent segons l'exemple:**

		ABANS	ARA	
Ex. **Anar** *molt al cine*	JO	**Anava** *molt al cine.*	**Vaig** *molt al teatre.*	Ex. **Anar** *molt al teatre.*
a Beure sempre cafè.	ELL	*Bevia* sempre cafè.	*Beu* sempre te.	Beure te.
b Sortir sovint amb els amics.	NOS.	*Sortíem* sovint amb els amics	*Ens quedem* sempre a casa.	Quedar-se sempre a casa.
c Suspendre les matemàtiques.	ELLA	*Suspenia* les matemàtiques.	*Suspèn* la física.	Suspendre la física.
d Fer ioga	VOS.	*Fèieu* ioga.	*Juguem* a tennis.	Jugar a tennis.
e Plorar tot el dia.	El nen	*Plorava* tot el dia.	*Riu* sempre.	Riure sempre.
f Servir-ho a domicili.	ELLS	Ho *servien* a domicili.	Ho *envien* per correu.	Enviar-ho per correu.

C) **Recordes els teus jocs d'infantesa?**
   Escriu a sota de cada un dels dibuixos el nom de la joguina (o del joc) que representen.

Solució

a) *baldufa*   f) *bales*
b) *nines*   g) *bitlles*
c) *corda*   h) *palet*
d) *patins*   i) *fet i amagar*
e) *pilota*   j) *cavall fort*

LOCALITZACIONS
Botigues i serveis

Objectius comunicatius

L'objectiu d'aquesta unitat didàctica és aprendre a:

— Preguntar i indicar on es poden trobar diferents botigues i serveis (un estanc, un sabater, una botiga de queviures, etc.) en un barri d'una ciutat o en un poble.

— Preguntar i indicar on es troba un lloc donant altres punts de referència (l'ajuntament, un jardí, un establiment determinat, etc.) i fer-ho amb diferents graus de seguretat: *Hi ha un estanc aquí mateix* vol dir que estem segurs que hi és; *N'hi deu haver un per aquí* vol dir que és probable que n'hi hagi un, però que no n'estem completament segurs.

---

1. — Mira atentament aquest plànol. Fixa't bé en allò que representa cada símbol i en el tipus d'establiment que correspon a cada número.

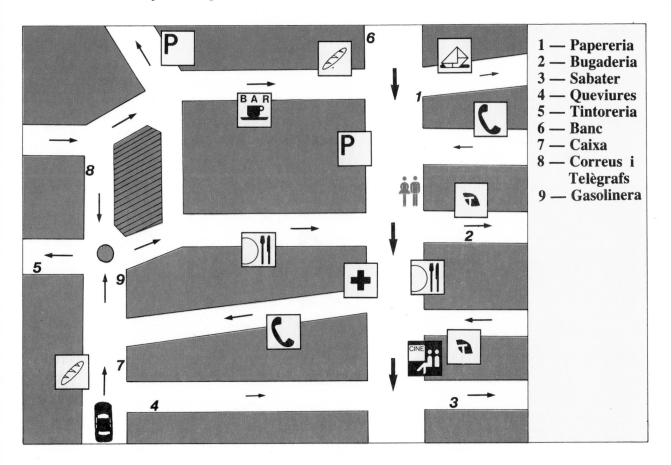

1 — Papereria
2 — Bugaderia
3 — Sabater
4 — Queviures
5 — Tintoreria
6 — Banc
7 — Caixa
8 — Correus i Telègrafs
9 — Gasolinera

Fixa't en el significat d'algunes paraules que necessites per entendre bé aquest plànol i el diàleg que sentiràs a continuació: **papereria** ("papelería"); **bugaderia** ("lavandería"); **sabater** ("zapatero"); **queviures** ("comestibles"); **bústia** ("buzón"); **segell** ("sello").

¹ 🚌 2. — DIÀLEG

En Miquel ha escrit als seus pares, però no té cap segell ni sap on tirar la carta. Ho demana a la Sra. Mercè, la propietària del pis, i aquesta li ho explica.

Escolta el diàleg i intenta situar en el plànol de la pàgina anterior els establiments dels quals parla la Sra. Mercè.

Fixa't que en el diàleg la Sra. Mercè utilitza diferents adverbis (**amunt, avall**), locucions adverbials (**a mà esquerra**) i locucions prepositives (**davant d'**una bugaderia), per indicar on és un lloc. Fes atenció al significat i a la utilització d'aquestes paraules:

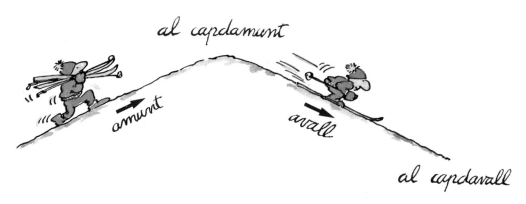

al capdamunt

amunt

avall

al capdavall

a dalt
a sobre (de la taula)
al damunt (de la taula)

a sota (de la taula)
a baix

⚠ **(A) baix** sempre és un adverbi i no s'utilitza mai com a preposició. Per tant, no podem dir mai *El gat és ~~baix~~ la taula*, sinó que hem d'usar la preposició **sota**: *El gat és* **sota** *la taula*.

> V. DIGUI, DIGUI.../1 unitats 3, 13 i 23

3. — Escolta novament el diàleg i marca amb una creu la resposta correcta:

Ex. *On puc trobar una bústia?* a) *Carrer avall.*
                                 b) *Dues cantonades més amunt.*
                                 c) *Baixant, a mà dreta.*

1) Que hi ha cap estanc per aquí?
   a) N'hi ha tres.
   b) N'hi ha dues.
   c) N'hi ha dos.

4) L'altre estanc és...
   a) dos carrers més amunt.
   b) dos carrers més avall.
   c) tres carrers més avall.

2) El primer estanc és...
   a) baixant, a mà esquerra.
   b) al costat d'una bugaderia.
   c) una mica més amunt.

5) Per arribar al segon estanc s'ha de...
   a) continuar pujant amunt.
   b) girar a la dreta.
   c) girar a l'esquerra.

3) La bugaderia és...
   a) pujant, a mà dreta.
   b) davant de l'estanc.
   c) tocant a una plaça.

6) La bústia és... i l'estanc és...
   a) a dalt... a baix
   b) carrer amunt... carrer avall.
   c) al capdavall de tot... al capdamunt de tot.

4. — Fixa't ara en aquestes frases del diàleg que has escoltat abans i repeteix-les.

—**On puc trobar una bústia?**
—**Tiri carrer amunt. És dues cantonades més amunt.**
—**I un lloc on venguin segells?**
—**A l'estanc. Que n'hi ha cap per aquí?**
—**És clar que hi ha estancs. N'hi ha dos.**

Per preguntar on és un establiment, una botiga o un servei determinat, podem fer-ho de maneres diverses. Presta atenció a aquestes:

ON *PUC* TROBAR *UN*...?			On puc trobar una bústia?
HI HA ALGUN LLOC ON... ON *PUC* TROBAR UN LLOC ON...	+ SUBJ. pres	...?	Hi ha algun lloc on venguin *segells per aquí?* On puc trobar un lloc on venguin *segells*?

Fixa't bé en la 3a. pers. del pl. del present de subjuntiu d'aquests verbs.

fer	→ facin
rentar	→ rentin
tenyir	→ tenyeixin
vendre	→ venguin

⚠ canviar → canviïn

També podem fer el mateix tipus de pregunta utilitzant el verb **poder** + **INF.**
Per exemple: *Hi ha algun lloc on* **pugui canviar** *diners, per aquí?* Fixa't, però, que el verb **poder** l'utilitzem en la 1a. pers. del sing. o del pl. en comptes de fer-ho en 3a. pers. del pl. com en els altres verbs.

Per indicar com es va a algun lloc fem servir frases amb un **verb en imperatiu**.

Ex. **Tira** *avall i a la primera cantonada* **gira** *a l'esquerra.*
Segueixi *aquest carrer i a la segona cantonada giri a la dreta.*
Continuï per *aquest carrer i a la segona cantonada giri a la dreta.*

V. DIGUI, DIGUI.../1 unitat 13

I per indicar l'existència o la situació d'un lloc fem servir frases amb els verbs **haver-hi** o **ser**, respectivament.

Exs. **Hi ha** *un estanc aquí mateix* = **N'hi ha** *un aquí mateix.* (Existència.)
L'estanc **és** *aquí mateix.* (Situació.)

V. DIGUI, DIGUI.../1 unitat 23

5. — PRÀCTICA D'ESTRUCTURES

Escolta aquests diàlegs.

—**On puc trobar una bústia?**
▶ **Segueixi aquest carrer** *amunt.* **A la segona cantonada a mà** *dreta* **n'hi ha una.**
—**On puc trobar una botiga de queviures?**
▶ **Continuï per aquest carrer** *avall.* **A la tercera cantonada a mà** *esquerra* **n'hi ha una.**

Escolta i repeteix els diàlegs anteriors.

Practica-ho.

Fixa't en aquests dibuixos, en els quals se't marca el lloc en què estan situats els establiments i la direcció que s'ha de seguir per arribar-hi. Completa els diàlegs següents com en els models que acabes de sentir.

—On puc trobar una papereria?
—Segueixi .... A la cantonada de sobre a mà ....

—On puc trobar un sabater?
—Continuï .... A la tercera cantonada a mà ....

—On puc trobar un bar?
—Segueixi .... A la primera cantonada a mà ....

—On puc trobar una farmàcia?
—Continuï .... A la segona cantonada a mà ....

4 6. — PRÀCTICA D'ESTRUCTURES

Escolta aquest diàleg, en el qual es practica una altra manera de preguntar on és un lloc utilitzant el present de subjuntiu?

> ► **On puc trobar un lloc on** *rentin roba*?
> —**Aquí mateix hi ha una bugaderia. Una mica més amunt, a la dreta.**

Escolta i repeteix el diàleg anterior.

Practica-ho.

Substitueix les paraules en cursiva per les del quadre de la dreta. Has de seguir el mateix ordre en què les tens escrites. Has de posar els verbs en 3a. pers. del pl. del present de subjuntiu, però recorda que el verb **poder** l'has de conjugar en 1a. pers. del sing.

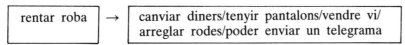

| rentar roba | → | canviar diners/tenyir pantalons/vendre vi/
arreglar rodes/poder enviar un telegrama |

5 7. — PRÀCTICA D'ESTRUCTURES

Escolta aquest nou diàleg.

> —**Sap si hi ha un estanc prop d'aquí?**
> ► **Un estanc? Sí. N'hi ha un dues cantonades més avall.**

Escolta i repeteix el diàleg anterior.

Practica-ho.

Completa els diàlegs següents segons el model que has sentit. Fixa't bé en la utilització de **hi ha** i de **n'hi ha**.

—Saps si hi ha algun cine per aquí a prop?
—...........? Sí .... un una mica més avall.

—Saps si hi ha un forn prop d'aquí?
—...........? Sí .... un dues cantonades

  més amunt.

—Saps si hi ha algun pàrquing per aquí?
—...........? Sí .... un una mica més

  amunt a l'esquerra.

—Saps on puc trobar una cabina telefònica
  prop d'aquí?
—...........? Sí ...... dues. Una, una mica més

  amunt i una altra, una mica més avall.

6 8. — PRÀCTICA D'ESTRUCTURES

Escolta el diàleg i presta novament atenció a la utilització de les formes **hi ha** i **n'hi ha**.

—**Hi ha cap estanc per aquí?**
► **No. Hi ha** *moltes botigues*, **però,** *d'estanc*, **no n'hi ha cap.**

Escolta i repeteix el diàleg.

Practica-ho.

Reprodueix la segona intervenció d'aquest diàleg fent les substitucions següents:

moltes botigues, ..., d'estanc,...
tres parvularis, ..., d'escola,...
dues caixes, ..., de banc,...
dos cines, ..., de teatre,...

9. — Mira atentament aquest dibuix i situa els diferents establiments, llocs i edificis que hi ha.

Fixa't en el significat d'algunes paraules que necessitaràs per entendre bé els diàlegs que sentiràs tot seguit: **ajuntament** ("ayuntamiento"); **antiguitats** ("antigüedades"); **església** ("iglesia"); **font** ("fuente"); **passeig** ("paseo"); **rètol** ("letrero"); **xiprer** ("ciprés").

7 🔊 10. — DIÀLEG

Mira el dibuix i escolta aquest diàleg, en què una persona demana a una altra on és l'estació de tren.
Torna a escoltar el diàleg i intenta endevinar des de quin lloc parlen aquestes dues persones.
Observa que per indicar d'una manera precisa on és un lloc sovint donem punts de referència i fem servir frases del tipus: *Veu aquesta plaça dels xiprers?* o *Quan arribi a la cantonada, giri a la dreta.*

VEU	SN ON HI HA...	?	**Veu aquesta plaça dels xiprers?** **Veus on hi ha** *aquella font*?

QUAN + SUBJ Pres	**Quan arribi** *a la cantonada, giri* *a la dreta*

8 11. — Fixa't ara en aquestes frases del diàleg anterior i repeteix-les.

—Veu aquesta plaça dels xiprers?
—Quin? El dels tres arbres?
—Quan arribi a la cantonada, giri a la dreta.

9 12. — **DIÀLEG**

Escolta novament el diàleg i completa'l.

—Que sap on és l'estació?
—Sí, miri .... ? Doncs ....
....
—Quin? El dels tres arbres?
—Això mateix .... , ...
.... L'estació, la veurà de seguida, ...
—Moltes gràcies. Passi-ho bé.

10 13. — **EXERCICI DE COMPRENSIÓ**

A continuació sentiràs quatre diàlegs. En cada un d'aquests diàlegs les persones que parlen ho fan des de diferents punts del dibuix. Intenta endevinar des de quins punts estan parlant aquestes persones.

a) Parlen des de ....
b) Parlen des de ....
c) Parlen des de ....
d) Parlen des de ....

Escolta aquest diàleg. *Una persona demana a una altra per un lloc i aquesta li ho indica.*

—*Sap si hi ha algun lloc on posin injeccions per aquest barri?*
▶ *Un consultori d'ATS?* **N'hi deu haver** *algun no gaire lluny, però ara no hi caic.* **Em sembla que n'hi ha d'haver** *un dos carrers més avall.*

Fixa't que quan no estem ben segurs d'on és un lloc determinat fem servir, entre altres, frases del tipus:

HI DEU HAVER...				Hi deu haver *un consultori* per aquí.
N'HI DEU HAVER		*UN...* *ALGUN...*	+ Adv o Loc Adv de lloc	N'hi deu haver un per aquí. N'hi deu haver algun per aquí.
(EM SEMBLA QUE)	HI HA D'HAVER...			Hi ha d'haver *un consultori* a prop.
	N'HI HA D'HAVER	*UN...* *ALGUN...*		Em sembla que n'hi ha d'haver un no gaire lluny d'aquí.

Torna a escoltar el diàleg anterior i repeteix-lo.

Practica-ho.

Completa els diàlegs següents com al model anterior.

—Que sap si hi ha una òptica per aquí?
—Una òptica? .... no gaire lluny, però ara no sé exactament on és.
  Em sembla que .... una mica més amunt.

—Saps si per aquí hi ha algun lloc on arreglin sabates?
—Un sabater? .... per aquí a prop, però ara no hi caic.
  Em sembla que .... tres carrers més avall, a la dreta.

—Escolti, sap si hi ha algun lloc on pugui comprar bosses de gel?
—Una gasolinera? .... prop d'aquí, però ara no sé segur on és.
  Em sembla que .... al capdamunt de tot d'aquest carrer.

—Oi que per aquí hi ha una botiga d'antiguitats?
—Una botiga d'antiguitats? .... no gaire lluny, però ara no hi caic.
  Em sembla que .... al capdavall de tot d'aquest carrer.

—Perdona, no hi ha una papereria per aquí?
—Una papereria? .... prop d'aquí, però ara no sé segur on és.
  Em sembla que .... més amunt, a dalt de tot del carrer.

—Sap si per aquí hi ha algun lloc on facin anàlisis de sang?
—Una farmàcia? .... per aquí a prop. però ara no li sabria dir on és.
  Em sembla que .... a l'altra banda d'aquella plaça, tocant al cine.

15. — EXERCICI DE PRONUNCIACIÓ

Escolta aquest diàleg. Fixa't en la pronunciació de les lletres impreses en negreta.

> ▶ *És gaire* **ll**u**ny** *l'ajuntament?*
> ▶ *No. És aquí mat*e**ix**, *pujant a mà dreta.*

Escolta i repeteix el diàleg anterior.

Practica-ho.

Substitueix | l'ajuntament | per | la caixa/el taller/el jardí |

LÈXIC, EXPRESSIONS I FRASES FETES

Substantius

ajuntament *m ayuntamiento*
anàlisi (de sang) *f análisis (de sangre)*
autoscola *f auto escuela*
botiga d'antiguitats *f tienda de anti-*
güedades
bugaderia *f lavandería*
cabina telefònica *f cabina telefónica*
consultori (d'ATS) *m consultorio (de ATS)*
església *f iglesia*
estàtua *f estatua*
font *f fuente*
injecció *f inyección*
jardí *m jardín*
monument *m monumento*

oficina de correus *f oficina de correos*
oficina de telègrafs *f oficina de telé-*
grafos
òptica *f óptica*
papereria *f papelcría*
pavelló d'esports *m pabellón de deportes*
rètol *m letrero*
roda *f rueda*
sabater *m zapatero*
segell *m sello*
telegrama *m telegrama*
xiprer *m ciprés*

EXERCICIS ESCRITS

A) Completa les preguntes i les respostes amb el present de subjuntiu dels verbs que hi ha entre parèntesis o amb les formes *hi ha* o *n'hi ha*.

1 —On puc trobar un lloc on es .... bé i barat? (menjar)
   —A la cantonada de la dreta .... un restaurant on ho fan força bé.
2 —On podem trobar un lloc on .... cartolina? (vendre)
   —Tocant a aquell bar............ una papereria i, si no, ... una altra més avall.
3 —On puc trobar un lloc on .... rellotges? (arreglar)
   —Em sembla que per aquí no .... cap.
4 —On podem trobar un lloc on .... pell? (tenyir)
   —......... una tintoreria al primer carrer de l'esquerra, però no sé si ho fan. Ara, ... una altra pujant a mà dreta on segur que en tenyeixen.
5 —Sap si hi ha algun lloc on .... injeccions en aquest barri? (posar)
   —............. dos. L'un és al capdamunt d'aquest carrer i l'altre al capdavall d'aquell passeig.
6 —Voldria saber si hi ha algun lloc on .... tancar el cotxe? (poder)
   —En aquesta zona .... molts pàrquings, però que admetin cotxes a pupil·latge em penso que no .... cap.
7 —Escolta, saps si hi ha algun lloc on .... moneda estrangera? (canviar)
   —Veus on .... aquell monument? Doncs al darrere d'aquella plaça .... un banc on en canvien.

B) Completa les frases següents amb aquests adverbis i locucions adverbials de lloc: *sota, baix, avall, sobre, dalt, amunt, tocant a, al capdamunt, al capdavall.* (N'hi pot haver algun de repetit.)

1 —La botiga que et deia és aquella d'allà ...., baixant a mà dreta. Veus on hi ha el semàfor? Doncs una mica més ...., a la cantonada de.............
2 —En Pere? Ja no hi viu, aquí. Ara viu al número 2 del passatge de les flors. Baixa fins .... de l'avinguda i tomba a la dreta.
3 —Anirem a un restaurant que hi ha allà .... al port.
4 —Pugi carrer .... i és just al carrer de ...., ... la plaça. Sí, sí... L'ambulatori és allà mateix.
5 —Si li han dit aquí, al segon pis, s'han equivocat. Per enviar paquets a l'estranger ha d'anar al pis de ...., al primer. I per als telegrames, baixi dos pisos més ...., a la planta baixa.
6 —Hi ha una parada pujant a l'esquerra. .... de tot el carrer.
7 —A .... de tot d'aquest carrer, hi ha l'estació.

C) A quina d'aquestes botigues pots trobar aquests objectes?

fregall

lents de contacte

agulla de cosir

tornavís

broca

raspall de dents

ulleres

galleda

lleixiu

botó

escombra

agulles d'estendre

lletra de canvi

pinzell

pinces

mistos llumins

brotxa

òptica	ferreteria	farmàcia	merceria	drogueria	estanc

SOLUCIÓ DELS EXERCICIS I TRANSCRIPCIÓ DELS DIÀLEGS

3. — DIÀLEG

Transcripció

MIQUEL: On puc trobar una bústia?

SRA. MERCÈ: Sí, home, en aquest mateix carrer. Tiri carrer amunt. És dues cantonades més amunt.

MIQUEL: I un lloc on venguin segells?

SRA. MERCÈ: A l'estanc. És clar. Ai, quina pregunta!

MIQUEL: A l'estanc. Que n'hi ha cap per aquí?

SRA. MERCÈ: És clar que hi ha estancs. N'hi ha dos. Com vol que no hi hagi estancs? Hi ha dos estancs. Un és aquí mateix, una mica més avall. Baixant, al primer carrer de l'esquerra, a mig carrer, sap?, davant d'una bugaderia. Sap què és una Bugaderia? Renten la roba. Al damunt de la botiga ho posa: Bugaderia.

MIQUEL: L'estanc no es veu que sigui un estanc?

SRA. MERCÈ: Naturalment que es veu. A fora també ho posa: *Tabacs*. O *Estanc*. No sé si hi posa *Estanc* o *Tabacs*. Entri dintre i demani segells. Venen tabac i segells.

MIQUEL: Molt bé.

SRA. MERCÈ: Esperi's. Però l'altre estanc és més gran i molt millor. Tiri avall també. És al segon carrer a mà esquerra. Ja el veurà de seguida.

MIQUEL: Ah. Els dos estancs no són el mateix estanc, oi?

SRA. MERCÈ: Què han de ser! Això sí: la bústia és carrer amunt i l'estanc carrer avall. La vida té aquestes coses.

Solució

1)	c	4)	b
2)	a	5)	c
3)	b	6)	b

10. — DIÀLEG

Transcripció i solució

—Que sap on és l'estació?

—Sí, miri. *Veu aquesta plaça dels xiprers?* Doncs *travessi-la i continuï tot dret per aquell passeig.*

—Quin? El dels tres arbres?

—Això mateix. *Quan arribi a la cantonada, giri a la dreta i sortirà a una plaça on hi ha una font.* L'estació, la veurà de seguida, *és a l'altra banda de la plaça.*

—Moltes gràcies. Passi-ho bé.

13. — COMPRENSIÓ

a) —Perdona, no saps pas on és l'estació?

—Mira, has de continuar de dret fins a la plaça.

—Quina? Aquesta on hi ha el monument al mig?

—Això mateix. Doncs travesses aquesta plaça i ¿veus aquell rètol on diu *Antiguitats*?

—Quin? El del costat de l'hotel?

—Sí. Doncs l'estació és en aquell mateix carrer, una mica més amunt.

—Adéu, i gràcies.

b) —Perdoni, l'església és gaire lluny d'aquí?
   —Home, una mica... Veu on hi ha la parada de l'autobús?
   —Quina? Aquella d'allà a l'esquerra?
   —Sí. Doncs tiri avall i, quan arribi a una mena de passeig on hi ha tres arbres, giri a l'esquerra.
   Travessi el passeig i és allà mateix. Una mica més avall, ja la veurà.
   —Moltes gràcies.

c) —Escolta, busco el pavelló d'esports. No saps pas on és?
   —A veure... Passa per davant de l'església i després gira a l'esquerra. Al primer carrer que trobis
   gires a la dreta i veuràs una casa on fan fotocòpies. Continua de dret i quan arribis a la cantonada
   següent ja el veuràs. És a l'altra banda del carrer, a davant d'una plaça.
   —Gràcies. Bon dia.

d) —Perdoni, sap si hi ha un mercat per aquí?
   —Sí, però és força lluny i una mica complicat d'arribar-hi amb cotxe. Miri, vostè giri a l'esquerra i
   travessi tot aquest carrer d'aquí davant.
   —Quin? Aquest on hi ha el pavelló d'esports?
   —Això mateix. Després continuï de dret i passarà per davant d'una casa on fan fotocòpies. Giri a
   l'esquerra i tiri amunt. Quan arribi a una mena de jardins amb una estàtua al mig, giri a la dreta i
   doni la volta als jardins. A mà dreta hi ha el mercat. M'ha entès?
   —Em sembla que sí. Moltes gràcies.

Solució

a) Parlen, aproximadament, des de la cantonada del carrer on hi ha la casa de fotocòpies. (Mirant el rètol,
   la cantonada de mà esquerra.)
b) Parlen, aproximadament, des de davant de l'autoscola.
c) Parlen, aproximadament, des de davant de l'ajuntament.
d) Parlen, aproximadament, des de davant de l'hotel.

SOLUCIÓ DELS EXERCICIS ESCRITS

A) **Completa les preguntes i les respostes amb el present de subjuntiu dels verbs que hi ha entre parèntesis
   o amb les formes *hi ha* o *n'hi ha*.**

1 —On puc trobar un lloc on es *mengi* bé i barat? (menjar)
   —A la cantonada de la dreta *hi ha* un restaurant on ho fan força bé.
2 —On podem trobar un lloc on *venguin* cartolina? (vendre)
   —Tocant a aquell bar *hi ha* una papereria i, si no, *n'hi ha* una altra més avall.
3 —On puc trobar un lloc on *arreglin* rellotges? (arreglar)
   —Em sembla que per aquí no *n'hi ha* cap.
4 —On podem trobar un lloc on *tenyeixin* pell? (tenyir)
   —*Hi ha* una tintoreria al primer carrer de l'esquerra, però no sé si ho fan. Ara, *n'hi ha* una altra
   pujant a mà dreta on segur que en tenyeixen.
5 —Sap si hi ha algun lloc on *posin* injeccions en aquest barri? (posar)
   —*N'hi ha* dos. L'un és al capdamunt d'aquest carrer i l'altre al capdavall d'aquell passeig.
6 —Voldria saber si hi ha algun lloc on *pugui* tancar el cotxe? (poder)
   —En aquesta zona *hi ha* molts pàrquings, però que admetin cotxes a pupil·latge em penso que no
   n'hi ha cap.
7 —Escolta, saps si hi ha algun lloc on *canviïn* moneda estrangera? (canviar)
   —Veus on *hi ha* aquell monument? Doncs al darrere d'aquella plaça *hi ha* un banc on en canvien.

B) **Completa les frases següents amb aquests adverbis i locucions adverbials de lloc:** *sota, baix, avall, sobre, dalt, amunt, tocant a, al capdamunt, al capdavall.* **(N'hi pot haver algun de repetit.)**

1 —La botiga que et deia és aquella d'allà *baix*, baixant a mà dreta. Veus on hi ha el semàfor? Doncs una mica més *avall*, a la cantonada de *sota/sobre*

2 —En Pere? Ja no hi viu, aquí. Ara viu al número 2 del passatge de les Flors. Baixa fins *al capdavall* de l'avinguda i tomba a la dreta.

3 —Anirem a un restaurant que hi ha allà *baix* al port.

4 —Pugi carrer *amunt* i és just al carrer de *sobre/dalt*, *tocant a* la plaça. Sí, sí... L'ambulatori és allà mateix.

5 —Si li han dit aquí, al segon pis, s'han equivocat. Per enviar paquets a l'estranger ha d'anar al pis de *sota*, al primer. I per als telegrames, baixi dos pisos més *avall*, a la planta baixa.

6 —Hi ha una parada pujant a l'esquerra. *Al capdamunt*, de tot carrer.

7 —A *dalt* / A *baix* de tot d'aquest carrer, hi ha l'estació.

C) **A quina d'aquestes botigues pots trobar aquests objectes?**

ÒPTICA	FERRETERIA	FARMÀCIA	MERCERIA	DROGUERIA	ESTANC
•*lents de contacte* •*ulleres*	•*broca* •*tornavís*	•*pinces* •*raspall de dents*	•*agulla de cosir* •*botó*	•*agulles d'estendre* •*brotxa* •*escombra* •*fregall* •*galleda* •*lleixiu* •*pinzell*	•*llumins/ mistos* •*lletra de canvi*

COMPRES
Descripció i tria d'objectes

Objectius comunicatius

L'objectiu d'aquesta unitat didàctica és aprendre a:

— Fer els actes lingüístics més usuals per comprar i vendre; demanar i dir què es vol, especificant-ne les característiques (preu, color, mida, material, finalitat, classe, etc.)

— Demanar precisions sobre algun article, alguna peça o algun producte.

— Acceptar o rebutjar un article, una peça o un producte.

---

1 1. — **DIÀLEG**

Quan anava a comprar segells, en Miquel ha tingut un accident. Atabalat com estava, ha travessat el carrer sense mirar, just quan passava la Carme —una noia jove i agradable— amb cotxe. L'accident no ha estat res, però en Miquel s'ha quedat només amb una sabata. La Carme es preocupa tant per l'accidentat, que fins i tot l'acompanya a comprar-se unes sabates. I ja els tenim a la sabateria.

Escolta el diàleg que tenen en Miquel i la Carme amb el dependent de la secció de sabateria d'uns grans magatzems.

2 2. — Fixa't en aquestes frases i repeteix-les.

	—**Vull** unes *sabates* **que siguin** *planes*.
	—**Voldria** unes *sabates* **que fossin** *planes*.
(Vull...)	—**Que** *no* **tinguin** *taló*.
(Voldria...)	—**Que** *no* **tinguessin** *taló*.
(Vull...)	—**Que** *no* em **facin** *mal*.
(Voldria...)	—**Que** *no* em **fessin** *mal*.
(Vull...)	—**Que** *no* es **cordin**.
(Voldria...)	—**Que** *no* es **cordessin**.

En aquestes frases, igual que en el diàleg, es precisa la descripció d'un objecte —en aquest cas unes sabates— perquè la petició quedi ben clara.

Aquesta precisió pot fer-se de diverses maneres:

Ex. 1. *Vull unes sabates* **planes**/*Voldria unes sabates* **planes**.
2. *Vull unes sabates* **que siguin planes**/*Voldria unes sabates* **que fossin planes**.
3. *Vull unes sabates* **sense talons**/*Voldria unes sabates* **sense talons**.
4. *Vull unes sabates* **que no tinguin talons**/*Voldria unes sabates* **que no tinguessin talons**.

En aquestes frases, els termes **planes, que siguin planes, sense talons, que no tinguin talons** serveixen igualment per determinar el tipus de sabates que es volen, excloent així tota la resta de sabates que tinguin talons. Per tant, encara que gramaticalment siguin diferents (1: adjectiu; 2 i 4: oració de relatiu; 3: sintagma preposicional), la seva funció respecte del nom **sabates** és la mateixa, la de determinar de quines sabates es tracta. Anomenarem totes aquestes construccions *complements nominals*, perquè complementen la significació del nom

Analitzem ara les frases 2 i 4, en les quals el terme adjectiu determinatiu és una oració introduïda pel pronom **que**.

Observem que el fet de canviar **vull** per **voldria** fa que el verb de l'altra oració canviï de temps. Si utilitzem **vull** (present d'indicatiu), el verb de l'altra oració s'expressa en present de subjuntiu: **siguin** (frase 2), **tinguin** (frase 4), mentre que si utilitzem **voldria** (condicional simple), el verb de l'altra oració s'expressa en imperfet de subjuntiu: **fossin** (frase 2), **tinguessin** (frase 4).

pres IND → pres SUBJ		
VULL UN + N + QUE	SIGUI/SIGUIN	Vull un abric que sigui llarg.
	TINGUI/TINGUIN	Volem una màquina d'escriure que tingui tecla correctora.
	FACI/FACIN	Volem unes cortines que facin 2 metres d'amplada.
	/...	Vull una maleta que no pesi gaire.

COND/imp IND → imp SUBJ		
VOLDRIA | *UN* + N + QUE *VOLIA* /...	FOS/FOSSIN	Voldria un abric que fos llarg.
	TINGUÉS/TINGUESSIN	Voldríem una màquina d'escriure que tingués tecla correctora.
	FES/FESSIN	Voldríem unes cortines que fessin 2 metres d'amplada.
	/...	Voldria una maleta que no pesés gaire.

Aclariments dels quadres:

1. En aquests quadres es pot observar la correspondència verbal que explicàvem en el paràgraf anterior.
2. En el segon quadre, a més del condicional, també es pot utilitzar l'imperfet d'indicatiu. També es podrien utilitzar altres verbs com **desitjar, necessitar**, etc., però el d'ús més freqüent quan es va a comprar és el verb **voler**.

3. Hem especificat el present i l'imperfet de subjuntiu dels verbs **ser, tenir** i **fer** (en tercera persona) perquè són irregulars, però igualment podríem usar qualsevol altre verb (*que no pesi gaire, que duri, que estigui bé de preu, que no pesés gaire, que duressin*).

3 ⊜ 3. — PRÀCTICA D'ESTRUCTURES

Escolta el diàleg. Fixa't que hi ha dues respostes possibles, segons que s'utilitzi el verb **voler** en present o en condicional.

> —**Li agraden aquestes sabates?**
> ▶ | **No, són massa** *dures*. **Les vull que siguin més** *flonges*.
> | **No, són massa** *dures*. **Les voldria que fossin més** *flonges*.

Escolta i repeteix.

Practica-ho.

Fes la intervenció marcada, tenint en compte que unes vegades es respon amb **vull** i d'altres amb **voldria**. Si tens dificultats amb la flexió de gènere i nombre d'aquests adjectius, abans de fer la pràctica mira't el quadre següent:

SINGULAR	
MASCULÍ	FEMENÍ
dur	dura
flonjo	flonja
espès	espessa
transparent	
tou	tova
gros	grossa
petit	petita
gran	
fort	forta
suau	

PLURAL	
MASCULÍ	FEMENÍ
durs	dures
flonjos	flonges
espessos	espesses
transparents	
tous	toves
grossos	grosses
petits	petites
grans	
forts	fortes
suaus	

—Li agraden aquestes cortines?
▶ ....
Les vull ....

—Li agraden aquestes maletes?
▶ ....
Les vull ....

—Li agraden aquests coixins?
▶ ....
Els voldria ....

—Li agrada aquest color?
▶ ....
El voldria ....

—Li agrada aquesta bossa?
▶ ....
La voldria ....

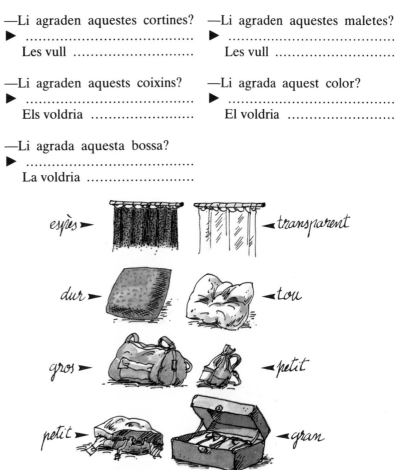

espès ▶   ◄ transparent

dur ▶   ◄ tou

gros ▶   ◄ petit

petit ▶   ◄ gran

fort ▶   ◄ suau

Recordeu que anteriorment parlàvem de les diferents formes que prenien els complements nominals. Treballarem ara els que estan formats amb una preposició.

Aquests complements serveixen per especificar o classificar el nom que acompanyen, com hem vist. Les preposicions més utilitzades per formar complements determinatius del nom són: **de, per (a), amb** i **sense**. Vegeu l'ús d'aquestes preposicions.

de   Introdueix un element que es pot interpretar com a origen, matèria, autor, etc. (*Vi del Penedès. Sabates de xarol. Pintura de Miró. Tasses de te. Escuma d'afaitar. Ganivet de cuina. Estufa de gas*)

per (a)   [Davant d'infinitiu usem només **per.**]
        Introdueix un element que expressa la destinació, l'objecte. (*Novel·les per a joves. Esperit de vi per cremar. Taula per dibuixar. Colònia per a homes.*)

amb   Expressa l'extensió d'algun objecte, d'algun accessori (*Moble amb calaixos. Càntir amb nanses. Sabates amb cordons.*)

sense   Expressa la mancança d'un objecte, d'algun accessori (*Moble sense calaixos. Càntir sense nanses. Sabates sense cordons.*)

Per practicar aquests complements del nom fes l'exercici següent.

4. — Uneix les paraules de la columna de la dreta i les de la columna de l'esquerra mitjançant les preposicions que hi ha al mig. (No hi ha una solució única)

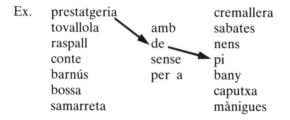

Ex.	prestatgeria		cremallera
	tovallola	amb	sabates
	raspall	de	nens
	conte	sense	pi
	barnús	per a	bany
	bossa		caputxa
	samarreta		mànigues

⁴ 5. — **DIÀLEG**

Després de comprar-se les sabates, en Miquel i la Carme troben un estanc. En Miquel es recorda que ha de comprar un segell, i hi entren. Escolta el diàleg que tenen amb l'estanquera.

5 6. — Fixa't en aquestes frases del diàleg i repeteix-les.

> —*Tenen* **segells**?
> —*És clar que* **en** *tenim.*
> —*Quants* **en** *vol?*
> —*Doni-me'n un.*
> —*No* **en** *té que siguin diferents?*
> —*Què et sembla* **aquesta postal**?
> —*Quan* **l'**has comprada?
> —*No* **l'**he comprada.
> —**N'**he vist una que m'agradava i te **la** regalo com a record.

En aquestes frases observem la substitució del complement **segells** pel pronom **en**, i la substitució del complement **aquesta postal** pel pronom **la**.

En l'última frase **N'***he vist una que m'agradava i te* **la** *regalo* utilitzem els dos pronoms **en** i **la**. Vegeu què substitueixen cada un d'ells. **N'***he vist* **una** *que m'agradava* és l'equivalent a *He vist* **una postal** *que m'agradava*, on el nom **postal** no és determinat, ja que no sabem de quina postal es tracta (una entre totes les que hi havia).

Te **la** *regalo com a record* és equivalent a *Et regalo* **aquesta/la postal** *com a record*, on el nom **postal** és determinat, ja que es tracta de la postal que la Carme regala a en Miquel.

Tant en la primera frase com en la segona, *postal* fa de complement directe del verb, però es substitueix per **en** o per **la** segons que es tracti d'una postal qualsevol o d'una de determinada.

Vegeu les formes que pren el pronom **en** segons vagi davant o darrere del verb.

davant	darrere
EN (N')	-NE ('N)

Ex. *He vist una* **postal** — **N'**he vist una
Quantes **postals** *vol?* — *Quantes* **en** *vol?*
Vull comprar una **postal** — *Vull comprar-***ne** *una/*
                            En *vull comprar una*
Compra una **postal** — *Compra'***n** *una*

Davant del verb el pronom **en** s'apostrofa si aquest comença en vocal (o **h**). Darrere del verb el pronom **en** s'apostrofa si el verb acaba en vocal (excepte si acaba en **u** de diftong: *compreu-***ne** *una*).

Vegeu ara les formes dels pronoms que substitueixen un complement directe determinat segons vagin davant o darrere del verb.

	davant	darrere
m sing	EL (L')	-LO ('L)
f sing	LA (L')	-LA
m pl	ELS	-LOS ('LS)
f pl	LES	-LES

Ex. **Aquest llibre,** *ja* **el** *tinc. Vaig comprar-***lo** *ahir.*

Aquesta revista, *no* **la** *tenim.* **L'***hem de comprar./ Hem de comprar-***la**.

Els llibres, *no vaig comprar-***los**./*No* **els** *vaig comprar, compra'***ls** *tu.*

Les revistes, *no* **les** *hem comprades. Compra-***les**.

Davant del verb

a) El pronom **el** s'apostrofa sempre que el verb comenci en vocal (o **h**).

b) El pronom **la** s'apostrofa sempre que el verb comenci en vocal (o **h**) excepte si aquesta vocal és una **i** o una **u** àtones: *Utilitzes* **la** *màquina? No, no* **la** *utilitzo. Hi has deixat* **la** *clau? Sí que* **la** *hi he deixat* (pronunciat habitualment [li]).

c) Els pronoms **els** i **les** són invariables.

Darrere del verb

a) El pronom **el** pren la forma **-lo** si el verb acaba en consonant (o **u** de diftong) i la forma **'l** si acaba en vocal (excepte si acaba en **u** de diftong: **Aquest llibre,** *no* **el** *tenim. Compreu***-lo**).

b) El pronom **-la** és invariable.

c) El pronom **els** pren la forma **-los** si el verb acaba en consonant (o **u** de diftong) i la forma **'ls** si acaba en vocal (excepte si acaba en **u** de diftong: **Aquests llibres,** *no* **els** *tenim. Compreu***-los**).

d) El pronom **-les** és invariable.

7. — PRÀCTICA D'ESTRUCTURES

6 a) Escolta el diàleg.

    ▶ **Voldria** *sobres*
—**Li van bé aquests?**
    ▶ **No en té de més** *llargs*?

Escolta i repeteix el diàleg.

Practica-ho.

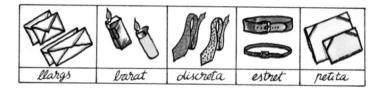

Fes les intervencions marcades substituint *sobres* per cada un dels objectes del dibuix i *llargs* per la característica que es dóna de cada un d'ells.

7 b) Escolta el diàleg.

    ▶ **Tenen** *els fascicles* **que vaig encarregar?**
—**No, encara no els tenim.**
    ▶ **Quan** *els* **tindran?**
—**Els rebrem demà.**

Escolta i repeteix el diàleg.

Practica-ho.

Fes les intervencions marcades substituint *fascicles* per cada un dels objectes del dibuix.

c) Escolta aquest diàleg.

—**Voldria fulls de paper.**
▶ **De** *quina mida els* **voldria?**
—**Mida foli.**
▶ *Quants* **en vol?**
—**Doni-me'n dos paquets.**

Escolta i repeteix el diàleg.

Practica-ho.

Fes les intervencions marcades substituint *mida* per la característica que es dóna en el dibuix.

8. — DIÀLEG

Escolta el diàleg i omple els espais buits de les intervencions del comprador i del venedor.

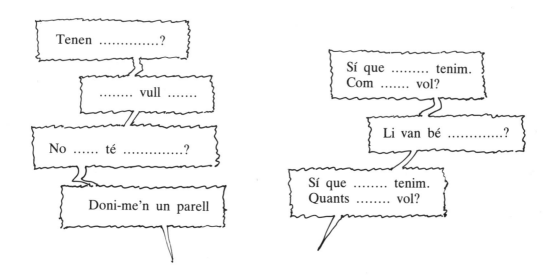

9. — PRÀCTICA D'ESTRUCTURES

Escolta aquestes frases.

—**Aquest barnús és molt car.**
▶ **No en té de més** *barats*?

Escolta i repeteix aquestes frases.

Practica-ho.

Fes la intervenció marcada substituint *barats* per l'adjectiu que indiqui el contrari del de la frase que sentiràs.

10. — Escolta aquests trossos de conversa entre un venedor i un comprador i omple el quadre següent.

Després intenta endevinar què es queda cada comprador. Objectes possibles: eixugamans, tovalloles, llits, cortines, taules, draps de la pols, tovallons, cadires, mocadors, llençols, coixins.

	material	color	mida	preu	quantitat	altres característiques
1r						
2n						
3r						

LÈXIC, EXPRESSIONS I FRASES FETES

Substantius

barnús *m albornoz*
calçador *m calzador*
coixí *m almohada*
coixinera *f funda de almohada*
conte *m cuento*
cordons *m cordones*
eixugamà *m* = drap de cuina *m paño de cocina*
encenedor *m mechero*
estovalles *f mantel*
fascicle *m fascículo*
fulls de paper *m hojas de papel*
fulles d'afaitar *f hojas de afeitar*
goma d'enganxar *f goma de pegar*
goma d'esborrar *f goma de borrar*
llapis *m* [pl. llapis] *lápiz*
llençol *m sábana*
llit *m cama*
llum *m lámpara*
loció *f loción*
mirall *m espejo*
parell *m par*
pasta de dents *f pasta de dientes*

perfum *m perfume*
pinta *f peine*
ploma *f pluma*
raspall de dents *m cepillo de dientes*
sabó *m jabón*
segell *m sello*
sola (de sabata) *f suela (de zapato)*
taló (de sabata) *m tacón (de zapato)*
tamboret *m taburete*
tovalló *m servilleta*
tovallola *f toalla*
vaixella *f vajilla*

Verbs

calçar *calzar*
cordar *abrochar*
descordar *desabrochar*
emprovar-se *probar-se (una pieza de vestir)*
encarregar *encargar*
enviar *enviar*
estrènyer *apretar*

Ajectius

dur/-a [*m pl* durs] ↔ tou/-ova i flonjo/-a *duro* ↔ *blando*
espès/-essa ↔ clar/-a *espeso* ↔ *claro*
fort/-a ↔ suau i fluix/-a *fuerte* ↔ *suave y flojo*
petit/-a ↔ gros/-ossa i gran *pequeño* ↔ *grande*

EXERCICIS ESCRITS

A) **Transforma les frases següents canviant l'adjectiu o el complement de nom per una oració adjectiva.**

Ex. *Vull un matalàs* **tou**.
Vull un matalàs **que sigui tou**.

1) Vull un còctel fluix, però sec.
....
2) Voldria un jersei no gaire gruixut.
....
3) Aquí hi ha d'anar un mirall de 130 × 90 centímetres.
....
4) Per treballar bé, necessitaria una taula de dos metres d'amplada.
....
5) Voldria un pis amb vista al mar.
....
6) No vull aquestes paelles amb mànec, vull una paella amb nanses.
....

B) **Completa les frases següents amb el temps i la persona que hi corresponguin dels verbs** *tenir, fer* i *ser*.

Ex. *Voldria un ambientador que* **fes** *olor de pi*.

1) Si vas al mercat, compra un pollastre. Però que no .... més d'un quilo i mig, eh!
2) Aquest color ja m'agrada, però preferiria que .... més fosc.
3) Voldria uns pantalons que no .... butxaques.
4) No tindrien pas uns guants que no .... tan llargs?
5) Busco un cotxe que no .... més de cinc anys.

C) **Transforma les frases de l'exercici anterior substituint l'oració relativa per una expressió equivalent.**

Ex. *Voldria un ambientador* **que fes olor de pi**.
Voldria un ambientador **amb olor de pi**.

SOLUCIÓ DELS EXERCICIS I TRANSCRIPCIÓ DELS DIÀLEGS

1. — DIÀLEG

Transcripció

DEPENDENT:	Sí?
CARME:	Volem unes sabates d'home. Per a ell.
DEPENDENT:	N'ha vist cap que li agradin?
MIQUEL:	No, però és igual.
DEPENDENT:	Com les vol?
MIQUEL:	Una cosa normal, sap? Que siguin planes, sóc alt i no necessito que tinguin taló. Ah!, que no es cordin, que no portin cordons. En tenen?
DEPENDENT:	Mocasins.
MIQUEL:	Això.
DEPENDENT:	Sí senyor. Quin número calça?
MIQUEL:	El quaranta-tres.
DEPENDENT:	De quin color?
MIQUEL:	Marró.
DEPENDENT:	De pell flonja o més aviat rígida?
MIQUEL:	No ho sé. Porti'n una de cada manera i deixi-me-les emprovar. Que no em facin mal.
DEPENDENT:	Molt bé. Un moment.
CARME:	Ha vist que només dúies una sabata, però cap comentari. Res, ni mitja paraula.
MIQUEL:	Aquest dependent és de plàstic. Segur. Un robot. Fort, sòlid i segur. Mai cap sorpresa. Tous per fora, com les persones, però durs per dintre, com les màquines. Perfectes.
CARME:	És antipàtic, però no és cap robot.
MIQUEL:	Sí que ho és. És un robot.
CARME:	Això s'ha de veure...

4. — Solució.

prestatgeria **de** pi	barnús **amb/sense** caputxa
tovallola **de** bany	bossa **amb/sense** cremallera
raspall **de/per a** roba	samarreta **amb/sense** mànigues
conte **de/per a** nens	

5. — DIÀLEG

Transcripció.

MIQUEL:	Tenen segells?
DEPENDENTA:	És clar que en tenim.
MIQUEL:	Per enviar una carta a Veneçuela.
DEPENDENTA:	Per enviar una carta a Veneçuela i per enviar-la on vulgui. Quants en vol?
MIQUEL:	Doni-me'n un.
DEPENDENTA:	Tingui.
MIQUEL:	No en té que siguin diferents? Amb un altre dibuix.
DEPENDENTA:	Aquesta temporada ens vénen tots iguals.
CARME:	Llàstima. Adéu.
DEPENDENTA:	Adéu-siau.
CARME:	Què et sembla aquesta postal?
MIQUEL:	Quan l'has comprada?
CARME:	No l'he comprada. N'he vist una que m'agradava i te la regalo com a record.
MIQUEL:	Doncs gràcies.

8. — DIÀLEG

Transcripció i solució.

—Tenen sobres?
—Sí que en tenim. Com els vol?
—Els vull allargats.
—Li van bé aquests?
—No en té de més grans?
—Sí que en tenim. Quants en vol?
—Doni-me'n un parell.

10. — COMPRENSIÓ

Conversa primera.

CLIENT:	D'una mida normal, ni grosses ni petites.
VENEDOR:	Les de mida mitjana són aquestes.
CLIENT:	Ui, són massa petites! Amb prou feines si t'hi pots eixugar la boca.
VENEDOR:	Doncs l'altra mida ja és la gran. Són aquestes d'aquí.
CLIENT:	Això ja està millor. Quant valen?
VENEDOR:	1.500 pessetes.
CLIENT:	Carai, que cares!
VENEDOR:	Pensi que són de cotó i que tenen un tacte molt agradable.
CLIENT:	I més barates, no en té?
VENEDOR:	Sí, però llavors ja són amb mescla de fibra. També són bones. Però, és clar, és una altra qualitat.
CLIENT:	Aquestes que van en aquest paquet, les venen juntes o separades?
VENEDOR:	Com vulgui, però si compra el paquet sencer, pel preu de cinc n'hi donem mitja dotzena.
CLIENT:	Està bé. I han de ser del mateix color o poden ser de colors variats?
VENEDOR:	Com vulgui.
CLIENT:	Miri, sap què?, me'n quedaré un paquet d'aquestes blanques que són grans. Quant valen?
VENEDOR:	4.000 pessetes. I són de cotó. Una ganga!

Conversa segona.

VENEDORA:	N'ha vist cap que li agradin?
CLIENTA:	Sí. A l'aparador n'hi ha unes que em sembla que poden anar bé.
VENEDORA:	Quines? Les estampades?
CLIENTA:	No. Unes de ratlles blanques i verdes, amb serrell.
VENEDORA:	Ah, sí! Són molt maques. Són les últimes que ens queden. Vol que les hi tregui?
CLIENTA:	Sí, sisplau. De què són?
VENEDORA:	De cotó i fibra. Es renten molt bé. Miri, veu? Què li semblen?
CLIENTA:	Ui! Les trobo molt grans.
VENEDORA:	Vol dir? Són d'una mida mitjana. N'hem venut moltes. Són per a vuit persones.
CLIENTA:	Potser sí que té raó. És que així, a la mà, no te n'acabes de fer el càrrec. Quin preu tenen?
VENEDORA:	Miri, estan marcades a 2.000 pessetes, però, com que són les últimes, les hi deixo per 1.750.
CLIENTA:	No sé què fer. Potser m'haurien agradat més si fossin de cotó. Tenen el tacte una mica aspre.
VENEDORA:	Sí, però pensi que a l'hora de rentar-les ho agrairà.
CLIENTA:	Sí, és clar, s'han de rentar tan sovint... Doncs me les quedo.

Conversa tercera.

VENEDOR: Com els voldria?

CLIENTA: De mida petita.

VENEDOR: De fil, de cotó, de tergal...?

CLIENTA: De tergal, que no s'han de planxar.

VENEDOR: De quin color?

CLIENTA: D'un color claret. Fan més bonic, un cop posats.

VENEDOR: Miri, aquest model, el tenim en groc, verd i rosa, i aquest altre, amb el fons blanc i estampat de diversos colors.

CLIENTA: A veure... Quin preu tenen?

VENEDOR: Els estampats valen 3.500 pessetes. Són d'una qualitat excel·lent, i els altres són més barats, 2.999 pessetes. Estan una mica rebaixats, però també són molt bons.

CLIENTA: No se'm descoloriran?

VENEDOR: No senyora, pensi que, com que són peces que s'han de rentar sovint, els colors són molt sòlids.

CLIENTA: Doncs em quedaré els estampats amb vermell. Sembla que s'embruten menys i animen més l'habitació.

Solució

	material	color	mida	preu	quantitat	altres característiques
1r	cotó	blanc	gran	4.000	mitja dotzena (6)	rebaixades
2n	cotó i fibra	blanc i verd	mitjana	1.750	1	amb serell
3r	tergal	blanc i vermell	petita	3.500	un joc	color sòlid

1r: tovalloles
2n: estovalles
3r: llençols

SOLUCIÓ DELS EXERCICIS ESCRITS

A) Transforma les frases següents canviant l'adjectiu o el complement de nom per una oració adjectiva.

Ex. *Vull un matalàs* **tou**.
   Vull un matalàs **que sigui tou**.

1 —Vull un còctel fluix, però sec.
   Vull un còctel que sigui fluix, però que sigui sec.
2 —Voldria un jersei no gaire gruixut.
   Voldria un jersei que no fos gaire gruixut.
3 —Aquí hi ha d'anar un mirall de 130 × 90 centímetres.
   Aquí hi ha d'anar un mirall que faci 130 × 90 centímetres.
4 —Per treballar bé, necessitaria una taula de dos metres d'amplada.
   Per treballar bé, necessitaria una taula que fes dos metres d'amplada.
5 —Voldria un pis amb vista al mar.
   Voldria un pis que tingués vista al mar.
6 —No vull aquestes paelles amb mànec, vull una paella amb nanses.
   No vull aquestes paelles amb mànec/que tenen mànec, vull una paella que tingui nanses.

B) Completa les frases següents amb el temps i la persona que hi corresponguin dels verbs *tenir, fer* **i** *ser.*

Ex. *Voldria un ambientador que* **fes** *olor de pi.*

1 —Si vas al mercat, compra un pollastre. Però que no *faci* més d'un quilo i mig, eh!
2 —Aquest color ja m'agrada, però preferiria que *fos* més fosc.
3 —Voldria uns pantalons que no *tinguessin* butxaques.
4 —No tindrien pas uns guants que no *fossin* tan llargs?
5 —Busco un cotxe que no *tingui* més de cinc anys.

C) Transforma les frases de l'exercici anterior substituint l'oració relativa per una expressió equivalent.

Ex. *Voldria un ambientador* **que fes olor de pi**.
   Voldria un ambientador **amb olor de pi**.

Solucions possibles

1) Si vas al mercat, compra un pollastre. Però *de menys d'un quilo i mig*, eh!
2) Aquest color ja m'agrada, però *el preferiria més fosc*.
3) Voldria uns pantalons *sense butxaques*.
4) No tindrien pas uns guants *més curts*?
5) Busco un cotxe *de menys de cinc anys*.

LLOCS
Informació sobre ciutats, pobles, comarques...

Objectius comunicatius

L'objectiu d'aquesta unitat didàctica és aprendre a:

— Parlar del temps atmosfèric. Comparar el clima de dos llocs determinats.

— Descriure un barri, un poble o una ciutat: situació, entorn geogràfic, recursos econòmics, clima, activitats que s'hi poden fer...

1. — El tema central d'aquesta unitat és donar informació sobre llocs. Donar informació, per exemple sobre la seva climatologia. Aquí tens quatre fotografies corresponents a quatre llocs diferents: Lleida, Viella, Tunis i Estrasburg, amb característiques climatològiques diferents. Llegeix el text que acompanya les fotografies.

Del clima de **Lleida** podem dir que és més aviat sec, si el comparem amb altres llocs de Catalunya. A Lleida hi plou poc: és un dels llocs on plou menys de tot Catalunya. A l'estiu hi fa calor i a l'hivern és freqüent trobar-hi boira.

A **Viella**, en canvi, hi plou sovint, sobretot als mesos de maig i juny, durant els quals es calcula que hi plou un de cada tres dies. Les temperatures solen ser baixes: 17° al juliol i 1, 3° al gener de mitjana. A l'hivern s'hi produeixen nevades. Podem parlar, doncs, d'un clima fred.

Tunis és una ciutat mediterrània, situada al nord de l'Àfrica. Les temperatures, per tant, seran força altes a l'estiu. Podem parlar de clima més aviat sec, encara que amb un índex de pluges semblant al d'altres regions del Mediterrani.

Estrasburg, capital de l'Alsàcia, situada al NE de França, presenta un clima continental, propi de les zones interiors d'Europa. És a dir, amb fortes oscil·lacions de temperatura d'estiu a hivern i durant el dia. A l'hivern les temperatures solen baixar dels 0° i es produeixen nevades i glaçades. A l'estiu, en canvi, les temperatures solen ser altes.

— Fixa't que sovint hem utilitzat el pronom **hi** per referir-nos al lloc del qual parlem (**A Lleida hi** *plou poc*).
Torna a llegir el text i digues a quins llocs ens podríem referir amb les frases següents:

	Lleida	Viella	Tunis	Estrasburg
Ex. *A la primavera* **hi** *plou molt*		X		
a) No **hi** sol nevar mai				
b) A l'estiu **hi** fa força calor				
c) És fàcil trobar-**hi** boira				
d) A l'hivern **hi** neva sovint				
e) A l'hivern **hi** glaça				
f) A l'hivern **hi** fa molt fred.				

— Usem el pronom **hi** doncs, per substituir un complement de lloc que ja havíem esmentat abans, o quan anteposem el complement al verb. En aquest últim cas, la llengua literària és refractària a la presència del pronom **hi** i recomana construccions com:

a Lleida plou poc

No obstant això, en la llengua parlada és habitual l'ús del pronom **hi** encara que l'expressió plena de complement circumstancial de lloc sigui immediatament anterior:

a Lleida **hi** plou poc
a Tunis no **hi** neva mai

			present	imperfet	indefinit	p. perfet
A	Lleida Viella Tunis Estrasburg	(HI)	NEVA PLOU GLAÇA FA	NEVAVA PLOVIA GLAÇAVA FEIA	HA NEVAT HA PLOGUT HA GLAÇAT HA FET	VA NEVAR/... VA PLOURE/... VA GLAÇAR/... VA FER/ calor, fred, vent

2. — PRÀCTICA D'ESTRUCTURES

Escolta aquest diàleg

—**Ha plogut a Riells?**
▶ **Sí,** *hi ha plogut* **molt**.

Escolta i repeteix el diàleg anterior.

Practica-ho

— Ara podem comparar dos llocs, a partir del seu clima.

— *A Viella (hi) plou* **més que** *a Lleida.*
— *A Estrasburg (hi) fa* **més** *fred* **que** *a Tunis.*
— *A l'hivern, a Estrasburg (hi) fa* **tant** *fred* **com** *a Viella.*
— *A Lleida no (hi) neva* **tant com** *a Estrasburg.*

2 [icon] 3. — **EXERCICI DE COMPRENSIÓ**

Escolta la previsió meteorològica i escriu al costat de cada temperatura el nom del(s) lloc(s) on s'ha registrat.

TEMPERATURES	LLOC(S)	TEMPERATURES	LLOC(S)
24°		14°	
20°		10°	
19°		6°	
18°		4°	
15°		−10°	

—A quin lloc de Catalunya ha fet més fred? I a quin ha fet més calor?
—A quin lloc dels Països Catalans ha fet més calor?

4. — Altres paraules relacionades amb aquest tema poden ser aquestes:

Màx. Mín.

			Màx.	Mín.
Palma de Mallorca.	[pluja]	[núvols]	17°	12°
Sabadell	[serè]	[boira]	25°	20°
Ribes de Freser.	[nevada]	[glaçada]	6°	−2°
València.	[vent]	[tempesta]	20°	15°

[serè]	[núvols i clarianes]	[pluja]	[nevada]
serè	núvols i clarianes	pluja	nevada
[glaçada]	[tempesta]	[vent]	[boira]
glaçada	tempesta	vent	boira

⚠ Participi de PLOURE: **plogut**

5. — **EXERCICI DE COMPRENSIÓ**

a) Relaciona les frases de l'esquerra amb les de la dreta (posa dins els parèntesis el número que els correspon).

1. Uf! Quina xafogor!
2. Quin dia més maco fa avui!
3. Aquesta nit ha fet uns trons i uns llamps! No ho has sentit?
4. Quin dia més lleig? Cada cop està més núvol i sembla que vol ploure.
5. Vigila que aquest bassal està glaçat i pots relliscar.

( ) I tant! Ha fet un xàfec!
( ) Sí, noi! Em sembla que farà un ruixat.
( ) Sí, noia, no l'havia vist. Has vist el termòmetre?: marca que estem a quatre sota zero.
( ) I tant! Et passes el dia suant. M'agrada més que el fred.
( ) Sí. Fa una temperatura molt agradable.

3 [icon] b) Escolta els diàlegs i escriu a sota de cada dibuix el número del diàleg que li correspon.

68

6. — EXERCICI DE COMPRENSIÓ

Fins ara, en parlar de diversos llocs, només ens hem fixat en els aspectes climatològics. Cal avançar una mica més i tractar de donar una informació més completa. Podem parlar de la seva situació geogràfica, de la seva vegetació, de les seves fonts de riquesa (agricultura, indústria, ramaderia) o de les seves tradicions. Prenguem com a exemple la informació que sobre Ripoll trobaràs a la cassette.

Escolta-la primer i fixa't en el vocabulari que tens en aquesta pàgina: **pi, roure, alzina, olivera, faig, boix, xiprer, blat, blat de moro, civada, alfals, xai, vedell, porc, ànec, conill**.

Després completa la fitxa següent a partir de la informació que sentiràs. Finalment, intenta recollir informació semblant sobre el lloc on vius (consulta, sempre que calgui, un diccionari).

Ripoll comarca del Ripollès. Població (1981): 12.209 habitants. Altitud: 691 metres.
Situació:
Ripoll està situat a la confluència de les valls del Ter i del Freser.
Accidents geogràfics:
Al nord-oest, la serra del Catllar. Al nord, ... A l'est, ... Al sud, ...
Vegetació: ....
Explotacions. Conreus: .... Ramaderia: .... Indústria: ....
Climatologia. Clima (en general): .... Temperatura: .... Règim de pluges: ....
Vivències del poble: ....

El Paral·lel, una de les avingudes més conegudes de Barcelona, sempre ha estat un centre d'atracció per als barcelonins i per als forasters. ¿Qui no ha anat mai a veure-hi un espectacle, a prendre-hi unes copes o, senzillament, a passejar-s'hi? Al Paral·lel, hi podem trobar des de "l'Apolo" fins al vell i conegut "Molino", local entranyable on encara es manté viva tota l'essència de la més pura tradició dins el món de la revista. Però la possibilitat d'espectacles i de diversions que ofereix el Paral·lel no es limita als cabarets. Hi podeu anar a veure una pel·lícula d'estrena o una obra de teatre o, si ho preferiu, podeu anar a ballar a una discoteca.

Si no teniu ganes d'anar a ballar i el que voleu és una mica d'aventura —apta per a tots els públics— molt a prop del Paral·lel, a l'altra banda del Poble-sec, hi ha el parc d'atraccions de Montjuïc, on els menuts —i els no tan menuts— poden pujar als cavallets, als autos de xoc, a les muntanyes russes, al tren de la bruixa, o mirar-se als miralls deformants. Un barri, en fi, ple de possibilitats, obert a l'aventura simpàtica o picaresca, però on sempre queda lloc per fer la tertúlia amb els amics fins a altes hores de la nit.

Extret d'Alexandre Cirici, *La Barcelona tendra*. Ed. Lumen, Barcelona, 1979 (Adaptació).

7. — Llegeix aquest text i busca el significat de les paraules següents:

menuts
cavallets
mirall

Marca tots els pronoms **hi** que hagis trobat en el text i escriu el nom dels llocs als quals es refereixen.

5 ⬚ 8. — **PRÀCTICA D'ESTRUCTURES**

Substitueix les frases que tens escrites i que sentiràs a la cassette per una altra amb el pronom **hi**, igual com en els exemples.

| Ex. | És un lloc on es menja molt bé ——————— *S'hi menja molt bé* |
| | És un teatre on fan molts espectacles ——————— *Hi fan molts espectacles* |

— **És un supermercat on es troba de tot.**
— **És un bar on fan uns còctels molt bons.**
— **És un barri on s'està molt bé.**
— **És un restaurant on cuinen molt bé.**

9. — EL BARRI

a) Llegeix aquesta descripció del barri del Poble-sec.

El Poble-sec està situat entre l'Avinguda del Paral·lel i la muntanya de Montjuïc. La major part dels seus edificis són del segle passat o de començaments de l'actual. Hi ha fins i tot un edifici amb balcons de colors, de l'època modernista, al carrer de Tapioles. La gent del barri —obrers i petits comerciants— els diumenges d'estiu acostumen a fer llargues passejades per la muntanya de Montjuïc; també freqüenten els petits parcs que hi ha a les places de Blasco de Garay i de Santa Madrona. El Poble-sec sempre ha estat un barri molt actiu. Per això compta amb una gran quantitat d'entitats i associacions que fan que en el barri sempre hi hagi alguna activitat o altra: ballada de sardanes, competicions de botxes, d'escacs... Però les imatges més conegudes del Poble-sec són, segurament, aquestes dues: les tres xemeneies i el Paral·lel, símbol de fusió de les dues principals activitats humanes: la feina i l'esbarjo.

Fixa't en aquest vocabulari que fa referència a aquelles activitats que es poden fer en un barri **passejades** ("paseos"), **ballada** ("baile, danza"), **botxes** ("petanca"), **escacs** ("ajedrez"), **esbarjo** ("recreo").

Respon les preguntes següents:
—On està situat el Poble-sec? ....
—De quina època són els seus edificis? ....
—Què hi ha al carrer de Tapioles? ....
—Com és la gent del barri? ....
—Què solen fer els diumenges? ....
—Quines activitats es poden fer al barri? ....
—Què simbolitzen les tres xemeneies? ....
—I el Paral·lel? ....

Coneixes el teu barri?

b) Omple aquesta fitxa amb informació sobre el teu barri.

Situació ....
Carrers o places importants ....
....
Monuments o edificis importants ....
....
Llocs d'esbarjo (cines, discoteques...) ....
....
Centres d'ensenyament (escoles, instituts...) ....
....
Centres culturals (biblioteques, museus...) ....
....
Instal·lacions esportives ....
....
Centres comercials importants ....
....
Centres assistencials (hospitals, clíniques, ambulatoris...)...........
....
Zones verdes ....

Què hi trobes a faltar?
Hi hauria d'haver ....
Què t'hi sobra?
No hi hauria d'haver ....

6 10. — PRÀCTICA D'ESTRUCTURES

Escolta el diàleg

—**Boig! Per què no mires per on vas!**
—**Uf! Ens ha anat de poc.**
—**Aquests ximples que no vigilen! Sort que no corríem, que, si no, ens la clavem.**
▶ **En aquest** *barri* **hi hauria d'haver més** *semàfors.*
—**Sí, trobo que n'hi ha molt pocs.**

Escolta i repeteix el diàleg

Practica-ho

Fes la intervenció marcada substituint *barri* i *semàfors* pels elements que es donen en aquest quadre:

...barri	...semàfors.
...parc	...arbres.
...zona	...escoles.
...biblioteca	...llibres.
...poble	...parcs.

11. — ENTONACIÓ I PUNTUACIÓ DE LA FRASE

De les tres frases que tens apuntades, marca amb una creu la frase que sentiràs.
Fixa't sobretot en l'entonació amb què es pronuncia, ja que aquesta entonació és la que determina que s'escrigui amb una puntuació o amb una altra.

1. — a ☐ És lluny?
    b ☐ És lluny.
    c ☐ És lluny!

2. — a ☐ Quin temps fa? Fa fred?
    b ☐ Quin temps! Fa... fa fred.
    c ☐ Quin temps fa? Fa fred.

3. — a ☐ A la Molina ha nevat.
    b ☐ A la Molina, ha nevat?
    c ☐ A la Molina? Ha nevat.

4. — a ☐ Aquí? No, s'hi menja molt malament.
    b ☐ Aquí no s'hi menja molt malament.
    c ☐ Aquí, no. S'hi menja molt malament.

5. — a ☐ On és allà?
    b ☐ On és? Allà.
    c ☐ On? És allà.

6. — a ☐ Però, no hi havies d'anar?
    b ☐ Però no hi havies d'anar.
    c ☐ Però, no. Hi havies d'anar.

7. — a ☐ A Tortosa no hi fa tanta calor.
    b ☐ A Tortosa, no. Hi fa tanta calor!
    c ☐ A Tortosa no hi fa tanta calor?

8. — a ☐ Si s'hi està bé...
    b ☐ Sí, sí... Està bé.
    c ☐ Sí. S'hi està bé.
    d ☐ Sí, si està bé.

9. — a ☐ I va anar amb tren a Reus.
    b ☐ Hi va anar amb tren, a Reus.
    c ☐ Hi va anar amb tren, a Reus?
    d ☐ I va anar amb tren a Reus?

10. — a ☐ Ahir? Vaig anar a Solsona.
     b ☐ Ahir, vaig anar a Solsona.
     c ☐ Ahir vaig anar a Solsona.

LÈXIC, EXPRESSIONS I FRASES FETES

Substantius

ballada	*f*	*baile, danza*	
bassal	*m*	*charco*	
botxes	*f*	*petanca*	
esbarjo	*m*	*recreo*	
escacs	*m*	*ajedrez*	
glaç	*m*	*hielo*	
llamp	*m*	*rayo*	

ruixat	*m*	*chaparrón*	
temperatura	*f*	*temperatura*	
termòmetre	*m*	*termómetro*	
tro	*m*	*trueno*	
xàfec	*m*	*aguacero*	
xafogor	*f*	*bochorno*	

Arbres *m* árboles: **pi** *m* pino, **roure** *m* roble, **alzina** *f* encina, **olivera** *f* olivo, **faig** *m* haya, **boix** *m* boj, **palmera** *f* palmera, **xiprer** *m* ciprés.

Conreus *m* cultivos: **patates** *f* patatas, **blat** *m* trigo, **blat de moro** *m* maíz, **civada** *f* avena, **alfals** *m* alfalfa, **mongeta (tendra)** *f* judía (verde), **enciam** *m* lechuga, **escarola** *f* escarola, **farratge** *m* forraje.

Animals *m* animals: **xai** *m* cordero, **vedell** *m* ternero, **porc** *m* cerdo, **gallina** *f* gallina, **ànec** *m* pato, **conill** *m* conejo.

Verbs
fer calor/fer fred *hacer calor/hacer frío*
glaçar *helar*
nevar *nevar*
ploure *llover*
relliscar *resbalar*

Expressions i frases fetes
fa un dia molt maco *hace un día muy hermoso*
fa un dia molt lleig *hace un día horrible*

EXERCICIS ESCRITS

A) **Col·loca aquestes paraules en el lloc que els correspon:**

> *ruixat, llamp, trons, xafogor,*
> *humitat, boira, vent, glaç, núvols.*

1 — És insuportable la .... que fa.
2 — Aquest matí he tardat més d'una hora per arribar al despatx.
   Hi havia molta ....
3 — A l'Empordà, ahir hi va fer molt .... i es va endur molts arbres i teulades.
4 — No has sentit quins .... aquesta nit? M'han despertat tres vegades.
5 — Hi ha molts .... Aquesta tarda, segur que farà un ....
6 — Alerta, que hi ha molt .... i pots relliscar.
7 — A l'hivern, a Barcelona hi ha molta ....

B) **Substitueix el complement de lloc d'aquestes oracions pel pronom *hi*.**

1 — Ahir a Barcelona va fer més calor que no pas avui.
....

2 — A París va ploure molt ahir.
....

3 — Sempre trobaràs boira a Londres.
....

4 — Aquest matí ha plogut molt a Sabadell.
....

5 — Aquesta matinada ha caigut pedra a Sant Cugat i ha fet malbé tota la collita.
....

C) **Omple els espais buits amb les formes *hi hauria d'haver* o *n'hi hauria d'haver*, segons convingui.**

1 — En aquest barri hi ha poques zones verdes. .... algun parc.

2 — En aquest parc hi ha pocs arbres. .... més.

3 — En aquest barri hi ha massa fàbriques. .... tantes.

4 — Aquesta avinguda està poc il·luminada. .... més fanals.

5 — Aquest carrer a la nit és molt sorollós. .... cap bar.

6 — En aquesta zona no hi ha gaires botigues. .... més.

7 — Aquesta avinguda està mal senyalitzada. .... més semàfors.

8 — En aquest poble no hi ha cap centre hospitalari. .... un ambulatori.

SOLUCIÓ DELS EXERCICIS I TRANSCRIPCIÓ DELS DIÀLEGS

3. — EXERCICI DE COMPRENSIÓ

Transcripció

Un centre d'altes pressions està situat sobre Catalunya. Això fa que es donin temperatures més altes del que és normal per a aquesta època de l'any.
Cal destacar, per exemple, els 20 graus de Tortosa i els 19 graus de Reus. A Lleida també han tingut temperatures altes que han oscil·lat entre els 14 graus i els 18 graus. A Barcelona i Tarragona s'ha arribat als 18 graus. A Girona s'ha donat la temperatura més baixa de les capitals: 10 graus de mínima i 15 graus de màxima. Les temperatures més baixes s'han registrat a Camprodon, amb 6 graus de mínima i a La Molina amb 4 graus. A Palma s'ha arribat també als 20 graus. La temperatura més alta dels Països Catalans s'ha registrat, però, a Alacant, on s'ha arribat als 24 graus, una temperatura pràcticament estiuenca, que contrasta amb el fred que estan patint al centre d'Europa, on ha nevat intensament. Berlín, per exemple, ha arribat als 10 graus sota zero. També a Viena s'han produït intenses nevades que han provocat diversos problemes en els sistemes de comunicació.
Per a demà s'espera l'entrada d'un front fred que farà baixar les temperatures.

Solució

TEMPERATURES	LLOC(S)	TEMPERATURES	LLOC(S)
24°	Alacant	14°	Tortosa
20°	Palma i Tortosa	10°	Girona
19°	Reus	6°	Camprodon
18°	Lleida, Barcelona i Tarragona	4°	La Molina
15°	Girona	−10°	Berlín

— La Molina (4°), Lleida, Barcelona i Tarragona (18°).
— Alacant (24°)

5. — EXERCICI DE COMPRENSIÓ

a) Solució

(1) Uf! Quina xafogor!
(1) I tant! Et passes el dia suant. M'agrada més el fred.

(2) Quin dia més maco fa avui!
(2) Sí. Fa una temperatura molt agradable.

(3) Aquesta nit ha fet uns trons i uns llamps! No ho has sentit?
(3) I tant! Ha fet un xàfec!

(4) Quin dia més lleig! Cada cop està més núvol i sembla que vol ploure.
(4) Sí, noi! Em sembla que farà un ruixat.

(5) Vigila, que aquest bassal està glaçat i pots relliscar.
(5) Sí, noia, no l'havia vist. Has vist el termòmetre?: Marca que estem a quatre sota zero.

b) **Solució**

A 2	B 4	C 1	D 3	E 5

6. — EXERCICI DE COMPRENSIÓ

Transcripció

Ripoll està situat a la confluència de les valls del Ter i del Freser. Accidenten el territori els vessants nord-orientals de la serra del Catllar, de 1.102 metres d'altitud, amb l'antic santuari del Catllar al cim; al nord, el turó de Sant Roc, de 935 metres; a l'est, el turó dels Cirers, de 1.057 metres, on s'aixequen el santuari i les ruïnes del castell de Sant Bartomeu, i al sud, la muntanya de Sant Antoni, de 1.010 metres. Els vessants d'aquestes muntanyes són coberts en part per boscos de pins, roures, faigs, boixos i pasturatges.
En els seus camps, s'hi cultiven cereals, patates i farratges als sectors més baixos de les valls. També s'hi cultiven hortalisses, sobretot enciam, escarola i mongetes tendres.
Ripoll és terra amb vocació ramadera: s'hi crien xais, vedells i porcs, i en el sector de l'avicultura, gallines, oques, ànecs i conills.
Ripoll constitueix un centre comercial i també és centre turístic en la ruta del Romànic i del Pirineu. Però la base econòmica del municipi és sens dubte la indústria, els sectors més importants de la qual són el tèxtil i el metal·lúrgic, sense oblidar-ne, però, d'altres com el de la construcció, el de la fusta amb fàbriques de mobles i serradores, el de materials per a la construcció, sobretot formigó, i els de paper i arts gràfiques.
El clima de Ripoll i la seva comarca és continental humit, característic de muntanya plujosa. Les temperatures són fredes en general, però no extremades. Al gener, a les cotes baixes de la comarca, entre 600 i 1.000 metres d'altitud, les mitjanes són de 2.8 graus a 1.6 graus, i de 17 a 20 graus al juliol, amb temperatures molt més baixes a les zones altes de la comarca, fins al punt que als llocs ombrívols més alts la neu a vegades no es fon en tot l'estiu. És a l'estiu, precisament, quan es produeixen les màximes precipitacions de pluja, com als països del centre d'Europa; això fa que el seu paisatge sigui sempre verdós i que més d'una vegada ens recordi els paisatges de l'Europa Central.
A Ripoll, com a qualsevol altre poble dels voltants, s'hi acostuma a fer mercat cada dissabte. També s'hi fan fires: concretament el dia 15 d'octubre n'hi ha una on s'exhibeixen productes de la construcció i del ram de l'automòbil, maquinària i joguines. A Ripoll, s'hi celebren moltes festes i aplecs. Una festa molt esperada pels ripollencs és l'anomenada festa de la llana, l'activitat més important de la qual consisteix en un concurs d'esquiladors de xais.

11. — ENTONACIÓ I PUNTUACIÓ DE LA FRASE

Solució

1 — c	6 — c
2 — a	7 — b
3 — b	8 — a
4 — a	9 — c
5 — b	10 — b

SOLUCIÓ DELS EXERCICIS ESCRITS

A) **Col·loca aquestes paraules en el lloc que els correspon:**

> *ruixat, llamp, trons, xafogor,*
> *humitat, boira, vent, glaç, núvols.*

1 — És insuportable la *xafogor* que fa.
2 — Aquest matí he tardat més d'una hora per arribar al despatx. Hi havia molta *boira*.
3 — A l'Empordà, ahir hi va fer molt *vent* i es va endur molts arbres i teulades.
4 — No has sentit quins *trons* aquesta nit? M'han despertat tres vegades.
5 — Hi ha molts *núvols*. Aquesta tarda, segur que, farà un *ruixat*.
6 — Alerta, que hi ha molt *glaç* i pots relliscar.
7 — A l'hivern, a Barcelona hi ha molta *humitat*.

B) **Substitueix el complement de lloc d'aquestes oracions pel pronom *hi*.**

1 — Ahir a Barcelona va fer més calor que no pas avui.
   Ahir hi va fer més calor que no pas avui.
2 — A París va ploure molt ahir.
   Hi va ploure molt ahir.
3 — Sempre trobaràs boira a Londres.
   Sempre hi trobaràs boira.
4 — Aquest matí ha plogut molt a Sabadell.
   Aquest matí hi ha plogut molt.
5 — Aquesta matinada ha caigut pedra a Sant Cugat i ha fet malbé tota la collita.
   Aquesta matinada hi ha caigut pedra i ha fet malbé tota la collita.

C) **Omple els espais buits amb les formes *hi hauria d'haver* o *n'hi hauria d'haver* segons convingui.**

1 — En aquest barri hi ha poques zones verdes. *Hi hauria d'haver* algun parc.

2 — En aquest parc hi ha pocs arbres. *N'hi hauria d'haver* més.

3 — En aquest barri hi ha massa fàbriques. No *n'hi hauria d'haver* tantes.

4 — Aquesta avinguda està poc il·luminada. *Hi hauria d'haver* més fanals.

5 — Aquest carrer a la nit és molt sorollós. No *hi hauria d'haver* cap bar.

6 — En aquesta zona no hi ha gaires botigues. *N'hi hauria d'haver* més.

7 — Aquesta avinguda està mal senyalitzada. *Hi hauria d'haver* més semàfors.

8 — En aquest poble no hi ha cap centre hospitalari. *Hi hauria d'haver* un ambulatori.

ESTATS D'ÀNIM

Objectius comunicatius

L'objectiu d'aquesta unitat didàctica és aprendre a:

— Interessar-se per l'estat d'ànim d'algú. Preguntar-li com està, què li passa, què té, etc.

— Expressar un estat d'ànim i explicar les causes que l'han provocat: *Estic preocupada perquè encara no han arribat.*

— Oferir-se a fer alguna cosa per algú: *Vols que t'ajudi?*

— Donar ànims a algú traient importància a allò que el preocupa: *No t'hi capfiquis, no n'hi ha per tant./No t'hi amoïnis./No t'hi atabalis.*

— Suggerir solucions a un poblema: *Per què no hi parles?/Doncs parla-hi./Doncs no hi parlis.*

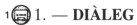 1. — **DIÀLEG**

L'Alfonso va a un bar a prendre una copa. Hi troba en Miquel, que està molt preocupat.

a) Escolta el diàleg.

b) Repeteix aquest fragment de diàleg:

ALFONSO: Com anem?
MIQUEL: Sí, mira...
ALFONSO: Ui, quina cara! Què et passa? Ja ho sé, calla. Tens mal de cap i estàs deprimit.
MIQUEL: No tinc mal de cap, tinc molts maldecaps.
ALFONSO: Ah, sí? I doncs?
MIQUEL: Estic deprimit, irritat, atabalat i no sé què més. N'estic tip!

Per expressar el seu estat d'ànim, en Miquel utilitza les frases següents: **Tinc molts maldecaps. Estic deprimit, irritat, atabalat i no sé què més. N'estic tip.**

Fixa't que **mal de cap** i **maldecaps** volen dir coses diferents: **mal de cap** = dolor físic.
maldecaps = problemes.

A part d'aquestes frases podem utilitzar també les següents.

ESTAR		
atabalat amoïnat capficat neguitós	↔	tranquil
avorrit desanimat	↔	animat
de mal humor	↔	de bon humor
deprimit	↔	eufòric, animat
empipat	↔	content
irritat	↔	calmat
mandrós gandul	↔	actiu treballador

TENIR	
maldecaps mandra ganes de	plorar riure

Ex. **Estic** *molt* **deprimit**. *Només* **tinc ganes de plorar.**

V. DIGUI, DIGUI.../1 unitat 21

Busca el significat d'aquests adjectius al final de la unitat.

2. — Escriu sota de cada un d'aquests dibuixos tres adjectius que corresponguin a l'estat d'ànim de cada un dels personatges.

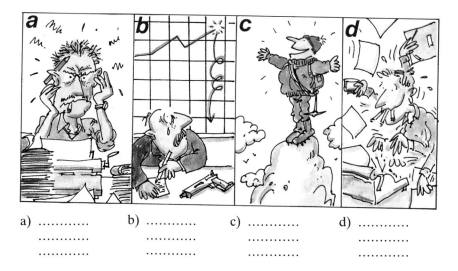

a) ....
....
....

b) ....
....
....

c) ....
....
....

d) ....
....
....

3. — EXERCICI DE PRONUNCIACIÓ

Escolta aquest diàleg. Fixa't en la pronunciació de les lletres impreses en negreta i en les que no es pronuncien (ȼ).

—*Et veig molȼ amoïnat.*
▶ *Sí, no sé què ȼm passa, però ȼstic molȼ neguitós.*

Escolta i repeteix el diàleg anterior.

Practica-ho.

Substitueix	neguitós	per	atabalat/desanimada/treballador

Els adjectius **atabalat, amoïnat, capficat, desanimat** i **empipat** són participis dels verbs **atabalar, amoïnar, capficar, desanimar** i **empipar**, verbs que utilitzem en frases negatives i en la seva forma reflexiva quan volem animar algú.

Exs. *Estic* **atabalada** → **No t'atabalis.**
   Estic **amoïnat** → **No t'amoïnis.**
   Estic **empipada** → **No t'empipis.**

Ara bé, amb els verbs **atabalar-se, amoïnar-se** i **capficar-se** fem servir el pronom **hi** quan coneixem la causa que ha provocat aquest estat d'ànim.

No t'**hi** atabalis.
No t'**hi** amoïnis.
No t'**hi** capfiquis.

A la cassette sentiràs cinc diàlegs que corresponen als dibuixos de l'esquerra. Al llibre tens escrits uns altres diàlegs que tenen lloc una estona més tard i que fan referència als diàlegs que has sentit. Però els diàlegs del llibre no estan col·locats al costat del dibuix corresponent. Digues a quin dibuix correspon cada diàleg.

Ex.

1

2

3

4

5

a) —**Què et passa,** *Esteve? Fas mala cara.*
—**Doncs que** *estic de mal humor* **perquè** *he anat a buscar la ràdio i encara no me l'han arreglada.*
—**No t'hi atabalis,** *home. No n'hi ha per tant!*
—*És que* **ja n'estic tip** *que em prenguin el pèl.*

b) —Què et passa, Jaume?
—Doncs que estic neguitós perquè la Laura hauria d'haver arribat fa una hora i encara no és aquí.
—No et preocupis, home. Ja veuràs com arriba de seguida.

c) —Què et passa, Gustau? Se't veu molt capficat.
—Doncs que la M. Lluïsa vol que ens separem. La veritat és que estic desesperat.

d) —Què li passa, Sra. Mercè?
—Doncs que estic molt deprimida perquè se m'ha mort el perico. Només tinc ganes de plorar.
—No s'hi capfiqui, dona. Si vol, ara mateix anem a comprar-ne un altre.

e) —Què et passa, Martínez?
—Doncs que estic amoïnat perquè l'encarregat m'ha esbroncat. És que m'havia equivocat en unes sumes.
—No t'hi amoïnis, Martínez... Ja saps que és molt cridaner. A més, tots ens equivoquem un dia o altre...

1

2

3

4

5

Dibuix	1	2	3	4	5
Diàleg	a				

5. — DIÀLEG

L'Alfonso s'ofereix a acompanyar en Miquel a cobrar els diners que li deuen. Quan van per pujar al taxi, s'adona que l'hi han obert.

a) Escolta el diàleg.

b) Torna a escoltar el diàleg i completa'n aquest fragment.

MIQUEL: Calma, home ....?
ALFONSO: Quatre mil quatre-centes cinquanta-dues pessetes! Les tenia comptades!
MIQUEL: No n'hi ha per tant, no té importància.
ALFONSO: Aviat és dit que no té importància! Com que no té importància?
MIQUEL: Vés a comissaria. ....? T'hi acompanyo.
ALFONSO: Et penses que vull fer el ridícul? No vull que m'acompanyis enlloc!
MIQUEL: .... Si no ho vols fer, ...
ALFONSO: Criminals! Fer-me això a mi! A mi!
MIQUEL: No t'has de desesperar, ...; ara.
ALFONSO: Com si no en tingués, de maldecaps!
MIQUEL: ....?
ALFONSO: No vull! Entrem al bar.

En el diàleg anterior hem vist que l'Alfonso té problemes i que en Miquel s'ofereix per ajuda-lo: "**Vols que vingui?**". També li fa alguns suggeriments: "**Vés** *a comissaria*"; "**Doncs no hi vagis**"; "*Si no ho vols fer,* **no ho facis**"; "**Per què no anem** *cap a casa?*"

Fixa't que després de **vols que** i en les frases negatives en Miquel utilitza el present de subjuntiu. Després de **per què no**, en canvi, utilitza el present d'indicatiu i quan suggereix a l'Alfonso de fer alguna cosa, utilitza l'imperatiu. Feu atenció també a la conjunció **doncs**, que indica conseqüència, però no indica causa.

Ex. *No ho vols fer?* **Doncs** *no ho facis.*
No vindrà ~~doncs~~ *està malalt.*
↓
No vindrà **perquè** *està malalt.*

VOLS QUE + SUBJ pres	?	Vols que vingui?
PER QUÈ NO + IND pres		Per què no anem *cap a casa*?

DONCS + IMP	Doncs no ho facis.
	Doncs vés-hi.

El subjuntiu dels verbs que has sentit en el diàleg entre l'Alfonso i en Miquel és el següent:

FER	
fac	i
	is
	i
fem	
feu	
fac	in

VENIR	
vingu	i
	is
	i
	em
	eu
	in

ANAR	
vag	i
	is
	i
anem	
aneu	
vag	in

6. — PRÀCTICA D'ESTRUCTURES

Escolta i repeteix aquestes frases.

> —**Et puc ajudar?**
> ▶ (Jo) **Vols que** *t'ajudi?*

Practica-ho.

Ara sentiràs unes frases. Després de cada una d'elles i abans del senyal acústic, et diran un pronom (*jo*, *nosaltres*, *ell*, etc.) Quan sentis el senyal acústic, has de canviar la frase que has sentit per una altra que comenci amb **vols que** seguit d'un verb en present de subjuntiu conjugat en la persona que t'indica el pronom.

(Nosaltres)	—Vols que ....?
(Jo)	—Vols que ....?
(Jo)	—Vols que ....?
(Ell)	—Vols que ....?
(Jo)	—Vols que ....?
(Ells)	—Vols que ....?

7. — PRÀCTICA D'ESTRUCTURES

Escolta aquestes frases.

> —**No tinc ganes d'anar-hi.**
> ▶ (Tu) **Doncs no** *hi vagis.*

Escolta i repeteix les frases anteriors.

Practica-ho.

Aquesta pràctica funciona igual que la de l'exercici anterior. Ara, però, les frases que has de dir han de començar per **doncs no**.

(Vosaltres)	—Doncs no ....?
(Tu)	—Doncs no ....?
(Tu)	—Doncs no ....?
(Vosaltres)	—Doncs no ....?
(Vosaltres)	—Doncs no ....?
(Vosaltres)	—Doncs no ....?

8. — Aquestes frases no corresponen als personatges que les diuen. Aparella els números amb les lletres de manera que hi corresponguin.

Pep Albanell
El Barcelonauta

Laia · El Nus

9. — Llegeix aquest fragment de carta.

Benvolgut germà Josep:
(…)

Em fa l'efecte que val més que t'ho expliqui tot des del començament: ens van robar. Acabàvem de baixar de l'autobús i cercàvem un taxi. No en baixava ni un de lliure. En un moment em va semblar veure'n un, li vaig fer senyals i es va parar un tros més avall d'allà on érem. Quan hi vam arribar, una senyora de mitjana edat ens l'havia pres.

Vam tornar al lloc on teníem les maletes, a uns cinquanta metres d'on s'havia parat el taxi, i ja no hi havia maletes ni Déu que les emparés. Ens ho havien eixugat tot… La Rosa es va posar a plorar de nervis i, si hagués gosat, també m'hi hauria posat jo, perquè em desfeia de ràbia. Vaig dir a la noia que calia buscar una comissaria i anar-ho a denunciar. Abans, però, vam entrar en el primer bar que vam trobar i ens vam beure dues copes de conyac. Les necessitàvem. Però el robatori ens el van fotre al bar, noi: ens van costar setze duros! Setze duros per dos conyacs de mala mort que no devien ser ni de marca. O potser és que se'ns veia a la cara que veníem de poble… Sigui com sigui, ens vam beure els conyacs i vam fugir d'aquella cova que les cames ens tocaven al cul. No podíem pas dir que la nostra entrada a la capital fos gaire triomfal.
(…)

ALBANELL, Josep *El Barcelonauta*,
Ed. Laia, Barcelona 1983 (Adaptació)

— **Em fa l'efecte que…:** "Me parece que…"
— **cercàvem:** = **buscàvem**.
— **un tros més avall:** "un poco más abajo"
— **emparés:** "amparase"
— **eixugat:** en sentit figurat, **robat**
— **si hagués gosat:** "si me hubiera atrevido"
— **de mala mort:** "de mala muerte"
— **vam fugir:** "huimos"
— **cova:** "cueva", paraula utilitzada en el text com a sinònim de **bar** per donar-li un to despectiu.
— **vam fugir que les cames ens tocaven al cul:** "salimos pitando".

10. — Torna a llegir el fragment de carta anterior i marca amb una creu si és "veritable" (V) o "fals" (F), segons si aquestes afirmacions corresponen o no al que has llegit.

Ex. *El motiu principal de la carta és explicar el robatori.* V F

a) Buscaven un taxi i en van trobar un de seguida. V F
b) Quan finalment van trobar un taxi, hi van pujar. V F
c) Mentre corrien per agafar un taxi, els van robar l'equipatge. V F
d) En veure que els havien robat, van telefonar a la policia. V F
e) Es van barallar amb els del bar. V F
f) La seva visita a la capital els va provocar molt mal de cap. V F

LÈXIC, EXPRESSIONS I FRASES FETES

Substantius

maldecaps *m quebraderos de cabeza,*
  preocupaciones
mandra *f pereza*

Verbs

amoïnar-se *preocuparse*
atabalar-se *agobiarse, aturdirse*
capficar-se *abatirse, preocuparse*

Expressions i frases fetes

ganes de | plorar | ganas de | llorar
       | riure | | reír
Ah, sí? I doncs? *¿Ah, sí? ¡No me digas!*
Ja n'estic tip! *¡Ya estoy harto!*
Ja n'hi ha prou! *¡Basta ya! ¡Ya está bien!*
Se m'acaba la paciència! *¡Se me acaba la*
  paciencia!
No t'hi amoïnis. *No te preocupes.*
No t'hi atabalis. *No te agobies.*
No t'hi capfiquis. *No te preocupes (tanto)*
No n'hi ha per tant! *¡No hay para tanto!*

Adjectius

actiu/-iva *activo*
amoïnat/-ada *preocupado*
animat/-ada *animado*
atabalat/-ada *agobiado, aturdido*
avorrit/-ida *aburrido, harto, hastiado*
calmat/-ada *calmado*
capficat/-ada *abatido, muy preocupado*
content/-a *contento*
de bon humor *de buen humor*
de mal humor *de mal humor*
deprimit/-ida *deprimido*
desanimat/-ada *desanimado*
empipat/-ada *enfadado*
eufòric/-ica *eufórico*
gandul/-a *gandul*
irritat/-ada *irritado*
mandrós/-osa *perezoso*
neguitós/-osa *inquieto, intranquilo*
tranquil/-il·la *tranquilo*
treballador/-ora *trabajador*

EXERCICIS ESCRITS

A) **A partir de les frases de la columna de l'esquerra escriu els adjectius que corresponguin al quadre de la dreta.**

	En Ramon està...	L'Elvira està...	Tots dos estan...	Elles estan...
Ex. — *Quin atabalament!*	ATABALAT	ATABALADA	ATABALATS	ATABALADES
— Quins nervis!				
— Quina mandra, eh!				
— Quina tranquil·litat!				
— No n'hi ha per amoïnar-s'hi tant!				
— Sempre amb aquest neguit i				

B) **Omple els buits amb el present de subjuntiu dels verbs que hi ha entre parèntesis i amb els pronoms que hi faltin (...)**

Ex. —*He de picar tot això a màquina.*
   —*Vols que* **t' ajudi**? (*ajudar, jo*)

   1 —Estic sola.
     —Vols que ——————— a sopar? (venir, nosaltres)
   2 —Aquesta maionesa no surt. Ja ho hem provat tots dos, i no hi ha manera!
     —Voleu que ... ——————— jo? (fer)
   3 —Hauria d'anar a esperar l'Àngels a l'estació, però no sé si podré.
     —Vols que ... ——————— ells? (anar)
   4 —No em puc cordar el collaret.
     —Vols que ... ... ——————— jo? (cordar)
   5 —Saps si hi ha algun lloc on tenyeixin sabates?
     —Sí, jo també n'hi vull dur unes. Vols que ... ——————— juntes? (anar)
   6 —M'he llevat amb una gana!
     —Vols que ——————— xocalata desfeta? (fer, nosaltres)
   7 —No sé què li passa, però tot el dia que té molt mal de cap.
     —Vols que... ——————— una aspirina? (donar, jo)
   8 —Escolta, avui arriben els meus cosins d'Eivissa. Vols que ——————— a la festa? (venir, ells)
   9 —He d'anar a la comissaria a denunciar que he perdut el portamonedes.
     —Vols que ... ... ———————? (acompanyar, jo)
  10 —No sé pas com dir-li que aquest cap de setmana tampoc no hi puc anar.
     —Vols que ... ... ——————— nosaltres? (dir)

SOLUCIÓ DELS EXERCICIS I TRANSCRIPCIÓ DELS DIÀLEGS

1. — DIÀLEG

Transcripció

CAMBRER: Hola, Alfonso, què hi posem?
ALFONSO: Encara ho has de preguntar? Com sempre, jo i la meva cervesa. Què hi ha de nou?
CAMBRER: Encara ho has de preguntar? Com sempre, home; jo i les meves cerveses.
ALFONSO: Ara, què? He de riure?
CAMBRER: Per mi, tu mateix.
ALFONSO: No tens gràcia, fill. Home, en Miquel! Què hi fa, aquest, aquí? T'he descobert!
MIQUEL: Què? Ah, ets tu. Hola.
ALFONSO: Com anem?
MIQUEL: Sí, mira…
ALFONSO: Ui, quina cara. Què et passa? Ja ho sé, calla. En Toni va dir que havies de quedar-te dos dies al llit i no ho has fet. I ara tens mal de cap i estàs deprimit.
MIQUEL: No tinc mal de cap, tinc molts maldecaps.
ALFONSO: Ah, sí? I doncs?
MIQUEL: Estic deprimit, irritat, atabalat i no sé què més. N'estic tip!
ALFONSO: Sí senyor, això és parlar. Tens raó, ja n'hi ha prou. Estàs tip de què?
MIQUEL: M'havien de pagar avui. Doncs no, encara no m'han pagat.
ALFONSO: Doncs no pot ser. Però no t'hi capfiquis, home.

2. — Solució

a) *atabalat*
avorrit
de mal humor
empipat
irritat

b) *amoïnat*
capficat
avorrit
deprimit
desanimat

c) *animat*
de bon humor
eufòric
content

d) *actiu,*
atabalat
treballador

4. — EXERCICI DE COMPRENSIÓ

Transcripció

1) EMPLEAT: Ho sento molt, però no la tindrem fins demà.
   NOI: Fins demà! Fa tres dies que vinc a buscar aquesta ràdio i que em diuen el mateix. Sap què li dic? Que me l'emporto tal com està i que ja me l'arrreglaran en un altre lloc.

2) DIRECTOR: Jo no sé què li passa, Martínez, però això no pot ser! S'ha equivocat gairebé en totes les sumes, i jo m'he de poder fiar del comptable de l'empresa!
   MARTÍNEZ: Ho sento. És que les vaig fer molt de pressa per tenir-ho tot a punt. No tornarà a passar.

3) SENYORA 1: Fa dos mesos, el gos; la setmana passada, el gat; i ara, el perico… Em feien tanta companyia!
   SENYORA 2: De què s'ha mort?

4) NOI: És que m'estranya molt que no sigui puntual. En cinc anys que fa que sortim junts, no ha fet mai tard, la Laura. Això és que ha tingut un accident. I si truquéssim a la policia?
   NOIA: I ara! Què vols que li hagi passat? Ja veuràs com arriba de seguida!

5) M. LLUÏSA: Així no podem continuar, Gustau. Això nostre s'ha acabat.
   GUSTAU: Però, M. Lluïsa…, i si provéssim de tornar a començar?
   M. LLUÏSA: No, Gustau, no ens enganyem. Entre tu i jo ja no hi ha res. Val més que ens separem com a bons amics.

Solució

Dibuix	1	2	3	4	5
Diàleg	a	e	d	b	c

5. — DIÀLEG

Transcripció i solució

ALFONSO: T'acompanyo. Aquí tenim el meu taxi. Anirem amb taxi, com els senyors. Vaja, m'he deixat la porta oberta. Jo, també... A veure. Ai, ai, que m'han robat! M'han robat la caixa dels calés! M'han obert el cotxe i m'han robat!

MIQUEL: Segur?

ALFONSO: Segur! Déu meu! Lladres, assassins!

MIQUEL: Calma, home. *Quant t'han robat?*

ALFONSO: Quatre mil quatre-centes cinquanta-dues pessetes! Les tenia comptades!

MIQUEL: No n'hi ha per tant, no té importància.

ALFONSO: Aviat és dit que no té importància! Com que no té importància?

MIQUEL: Vés a comissaria. *Vols que vingui?* T'hi acompanyo.

ALFONSO: Et penses que vull fer el ridícul? No vull que m'acompanyis enlloc!

MIQUEL: *Doncs no hi vagis.* Si no ho vols fer, *no ho facis.*

ALFONSO: Criminals! Fer-me això a mi! A mi!

MIQUEL: No t'has de desesperar, *no t'hi atabalis*; *no et deprimeixis*, ara.

ALFONSO: Com si no en tingués, de maldecaps!

MIQUEL: *Per què no anem cap a casa?*

ALFONSO: No vull! Entrem al bar.

MIQUEL: Molt bé. Al bar, però anima't.

8. — Solució

1	C	4	B
2	E	5	F
3	A	6	D

10. — Solució

a) Buscaven un taxi i en van trobar un de seguida.   V ~~F~~

b) Quan finalment van trobar un taxi, hi van pujar.   V ~~F~~

c) Mentre corrien per agafar un taxi, els van robar l'equipatge.   ~~V~~ F

d) En veure que els havien robat, van telefonar a la policia.   V ~~F~~

e) Es van barallar amb els del bar.   V ~~F~~

f) La seva visita a la capital els va provocar molt mal de cap.   V ~~F~~

SOLUCIÓ DELS EXERCICIS ESCRITS

A) **A partir de les frases de la columna de l'esquerra escriu els adjectius que corresponguin al quadre de la dreta.**

	En Ramon està...	L'Elvira està...	Tots dos estan...	Elles estan...
Ex. — *Quin atabalament!*	*ATABALAT*	*ATABALADA*	*ATABALATS*	*ATABALADES*
— Quins nervis!	*nerviós*	*nerviosa*	*nerviosos*	*nervioses*
— Quina mandra, eh!	*mandrós*	*mandrosa*	*mandrosos*	*mandroses*
— Quina tranquil·litat!	*tranquil*	*tranquil·la*	*tranquils*	*tranquil·les*
— No n'hi ha per amoïnar-s'hi tant!	*amoïnat*	*amoïnada*	*amoïnats*	*amoïnades*
— Sempre amb aquest neguit!	*neguitós*	*neguitosa*	*neguitosos*	*neguitoses*

B) **Omple els buits amb el present de subjuntiu dels verbs que hi ha entre parèntesis i amb els pronoms que hi faltin (...)**

Ex. —*He de picar tot això a màquina.*
—*Vols que* **t'** *ajudi?* (*ajudar, jo*)

1 —Estic sola.
—Vols que *vinguem* a sopar? (venir, nosaltres)

2 —Aquesta maionesa no surt. Ja ho hem provat tots dos, i no hi ha manera!
—Voleu que *la faci* jo? (fer)

3 —Hauria d'anar a esperar l'Àngels a l'estació, però no sé si podré.
—Vols que *hi vagin* ells? (anar)

4 —No em puc cordar el collaret.
—Vols que *te 'l cordi* jo? (cordar)

5 —Saps si hi ha algun lloc on tenyeixin sabates?
—Sí, jo també n'hi vull dur unes. Vols que *hi anem* juntes? (anar)

6 —M'he llevat amb una gana!
—Vols que *fem* xocolata desfeta? (fer, nosaltres)

7 —No sé què li passa, però tot el dia que té molt mal de cap.
—Vols que *li doni* una aspirina? (donar, jo)

8 —Escolta, avui arriben els meus cosins d'Eivissa. Vols que *vinguin* a la festa? (venir, ells)

9 —He d'anar a la comissaria a denunciar que he perdut el portamonedes.
—Vols que *t' hi acompanyi?* (acompanyar, jo)

10 —No sé pas com dir-li que aquest cap de setmana tampoc no hi puc anar.
—Vols que *l'hi/li ho diguem* nosaltres? (dir)

CONSELLS
Consells, objeccions i dubtes

> **Objectius comunicatius**
>
> L'objectiu d'aquesta unitat didàctica és aprendre a:
> — Demanar un consell davant d'un dubte o d'un problema.
> — Aconsellar.
> — Posar objeccions als consells donats o a les reflexions fetes per altres o que es fa un mateix.
> — Expressar dubtes davant d'una situació d'indecisió.

1. — DIÀLEG

L'Alfonso i la Neus són nòvios des de fa cinc anys. La Neus voldria formalitzar la relació i casar-se, però l'Alfonso es fa el distret, com si no se n'adonés, a ell, això de casar-se no l'acaba de convèncer. Un vespre que van a sopar amb en Miquel, es discuteixen i, aprofitant les absències momentànies de l'un i de l'altre, demanen consell a en Miquel sobre la seva relació.

— *Escolta el diàleg*

— *Fixa't bé en les frases que sentiràs i repeteix-les*

      a) **Tu, si fossis de mi,** *t'hi casaries?*
      b) **Jo, si fos de tu,** *no en tinc ni idea.*
      c) **No ho veig gaire clar,** *saps?*
      d) **Tingues en compte que** *amb mi no té cap detall.*
      e) **Em fa por que** *no sortirà bé.*
      f) **Pensa-t'ho.**
      g) **Digue-li que** *si no et tracta bé, no t'hi casaràs.*

En aquest diàleg, la Neus demana consell a en Miquel (frase **a**). Aquest no sap quin consell donar-li (frase **b**). La Neus exposa els seus dubtes sobre la seva relació amb l'Alfonso (frases **c, d** i **e**) i finalment, en Miquel li dóna un consell (frases **f** i **g**).

— Ara és l'Alfonso qui demana consell.

 — Escolta el diàleg

 — Fixa't bé en les frases que sentiràs i repeteix-les

      a) **tu, en el meu lloc,** *què faries?*
      b) **Jo callaria.**
      c) **No sé si** *val la pena.*
      d) *Si no ho saps,* **pensa-t'ho bé.**
      e) **Tu, de mi,** *la deixaries, oi?*

En aquest diàleg l'Alfonso demana consell a en Miquel sobre la seva relació amb la Neus (frases **a, c** i **e**) i aquest li'n dóna algun, encara que sense gaire convenciment (frases **b** i **d**).

Fixa't que per demanar consell, la Neus i l'Alfonso han usat expressions com:

> *Tu, si fossis de mi,...*
> *Tu, en el meu lloc,...*

seguides d'un verb en condicional (*... què faries?*)
També podrien haver utilitzat altres fórmules com:

> *Tu, en el meu cas,*
> *Tu, de mi,...*

seguides també d'un verb en condicional.
Per donar un consell podem usar un verb en imperatiu:

> *Pensa-t'ho*
> *Digue-li que* (*)

(*) Forma com es pronuncia habitualment *digues-li* en la parla col·loquial.

o en condicional:

> Jo *callaria*

En aquest cas, entre el subjecte i el verb podríem haver intercalat les fórmules següents:

Jo, $\left\{ \begin{array}{l} \textit{si fos de tu,} \\ \textit{de tu,} \\ \textit{en el teu lloc,} \\ \textit{en el teu cas,} \end{array} \right\}$ callaria

Podríem resumir totes aquestes fórmules en el quadre següent:

(*TU,*) EN EL *MEU*	LLOC CAS	+ ...V...? COND	*T'hi casaries?* **Tu, en el meu cas,** *què faries?* **En el meu lloc,** *t'hi casaries?* **Tu, de mi,** *el/la deixaries?* **Tu, si fossis de mi,** *l'hi diries?*
TU, DE *MI,* (*TU,*) SI FOSSIS DE *MI*			
(*JO,*) EN EL *TEU*	LLOC, CAS,	+ ...V... COND	*Jo no m'hi casaria.* **Jo, en el teu cas,** *m'ho pensaria.* **En el teu lloc,** *m'hi casaria* **Jo, de tu,** *el/la deixaria.* **Jo, si fos de tu,** *l'hi diria.*
JO, DE *TU,* (*JO,*) SI FOS DE *TU,*			

Subjuntiu imperfet

SER
fos
fossis
fos
fóssim
fóssiu
fossin

En el diàleg que has sentit han aparegut els verbs i les expressions següents: *agafar, avenir-se, deixar, discutir, estimar, fer cas, fer por, gosar, odiar, patir, tenir en compte, valer la pena.* Busca el significat dels que no coneguis.

2. — PRÀCTICA D'ESTRUCTURES

2 a) Escolta aquest diàleg

—**Me la compro?**
▶ **Jo, si fos de tu, no** *me la compraria.*

Escolta i repeteix

Practica-ho:
Respon les preguntes que sentiràs seguint el model.

Ex. —Me la compro?
▶ Jo, si fos de tu, no me la compraria.

—Hi entro?
—.............

—N'agafo més?
—.............

—Me'l poso?
—.....................

—Me'l menjo?
—.............

—N'hi poso més?
—.............

3 b) Escolta aquest diàleg

—**Tu, si fossis de mi, què faries?**
▶ **Jo** *me'l quedaria.*

Escolta i repeteix

Practica-ho: Respon les preguntes que sentiràs seguint el model

Queda-te'l

Ex. —Tu, si fossis de mi, què faries?
▶ Jo me'l quedaria

Lloga'l

—Tu, de mi, què faries?
—................

Telefona-hi

—Tu, en el meu lloc, què faries?
—....................

Llença-les

—Tu, en el meu cas, què faries?
—.....................

Escriu-hi

—Tu, què faries?
—..............

Deixa-ho córrer

—Tu, si fossis de mi, què faries?
—.......................

3. — En el diàleg que has sentit abans, la Neus i l'Alfonso dubten sobre el que han de fer i posen objeccions a les reflexions que els fa en Miquel. Recorda quina d'aquestes frases diu cadascun dels personatges? (Escriu el seu nom en el requadre corresponent.)

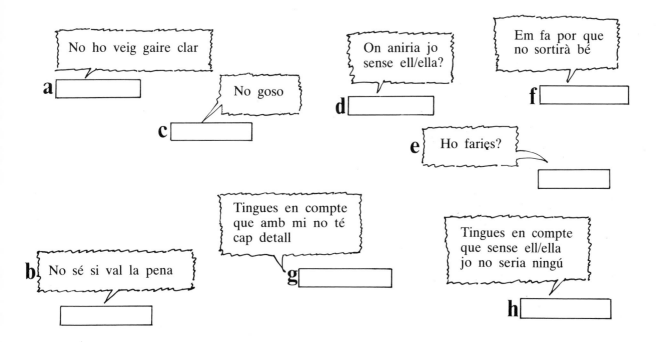

Per posar objeccions o expressar dubtes sobre una manera d'actuar usem sovint fórmules com les següents:

> *Em fa por que.../Em fa por de...*
> *No sé si...*
> *Tingues en compte que...*
> *Vols dir?*
> *No goso...*
> *No ho veig gaire clar.*
> *Estàs segur que...?/N'estàs segur?*
> *No sé si val la pena.*

Centrem l'atenció en la primera d'aquestes fórmules.

> *Em fa por que...*

La frase es podria completar amb un verb en futur: *Em fa por que no* **sortirà** *bé,* o també amb un verb present de subjuntiu: *Em fa por que no* **surti** *bé.*
La construcció en present d'indicatiu, però, no és habitual en la 1a persona del singular. En aquest cas es pot utilitzar la construcció en infinitiu.

EM FA POR	QUE	V (fut)... (NO) V (SUBJ pres)...	*Em fa por que no* **sortirà** *bé* *Em fa por que no* **surti** *bé* *Em fa por de* **perdre'm**
	(DE) + INF		

4. — PRÀCTICA D'ESTRUCTURES

4 a) Escolta el diàleg

> —**Per què no ho intentes?**
> ▶ **Perquè em fa por que** *no sortirà bé.*

Escolta i repeteix

Practica-ho:
Fes la intervenció marcada amb les substitucions següents.

| no SORTIR bé | → | PERDRE'S/PENJAR-me el telèfon/AVORRIR-SE |

5 b) Escolta i repeteix

> —**Em fa por que no li sortirà bé.**
> ▶ **Em fa por que** *no li surti bé.*

Practica-ho: Transforma les frases en futur que sentiràs, en les equivalents en present de subjuntiu.

6 5. — EXERCICI DE PRONUNCIACIÓ

Repeteix les frases següents, fixant-te sobretot en la pronunciació de les lletres en negreta.

> —No go**s**o anar-hi.
> —No sé si **p**o**s**ar-me corbata.
> —Jo, de tu, em **c**o**s**iria el botó.
> —Em **c**a**s**o o no em **c**a**s**o?
> —Em fa por que la **R**oser s'enfadi.
> —Quins **s**ous!
> —Quins ous?
> —Quins avis?
> —Quins savis!
> —Quins astres!
> —Quins sastres!

7 6. — **EXERCICI DE COMPRENSIÓ**

Consultori sentimental

a) Escolta la lectura d'aquesta carta i contesta si és cert o no que...

	Cert	Fals
1) L'Amador està desesperat perquè ha renyit amb la seva dona.	☐	☐
2) L'Amador està desesperat perquè la seva dona es burla d'ell.	☐	☐
3) L'Amador està desesperat perquè ha tingut un desengany.	☐	☐
4) A l'Amador li agradava la noia de la plaça.	☐	☐
5) A la noia de la plaça li agradava l'Amador.	☐	☐
6) A l'Amador li agradava el gos de la noia.	☐	☐
7) A la noia de la plaça li agradava el gos de l'Amador.	☐	☐
8) L'Amador és molt tímid.	☐	☐
9) La noia de la plaça és molt tímida.	☐	☐
10) Tots dos són molt tímids.	☐	☐

b) Quin d'aquests consells respon a la consulta que ha fet l'Amador?

1) ☐ Jo, de vostè, m'hi casaria.
2) ☐ Jo, en el seu cas, canviaria de pis.
3) ☐ El millor que pot fer és comprar un altre gos.
4) ☐ Jo, si fos de vostè, em divorciaria.
5) ☐ Parli amb un advocat.
6) ☐ Tregui el gos a passejar i oblidi's de la noia.
7) ☐ Jo, de vostè, buscaria una altra feina.

LÈXIC, EXPRESSIONS I FRASES FETES

Verbs

adonar-se *darse cuenta*
aconsellar *aconsejar*
avenir-se *avenirse, llevarse bien*
bategar *latir*
burlar-se *burlarse*
convidar *invitar*
discutir *discutir*
dubtar *dudar*
enfadar-se *enfadarse*
estimar *querer, amar*
fer cas *hacer caso*
formalitzar *formalizar*
gosar *atreverse, osar*
odiar *odiar*
patir *padecer, sufrir*
tractar *tractar*

Substantius

angoixa *f angustia*
avantatge *m ventaja*
comportament *m comportamiento*
consell *m consejo*
cor *m corazón*
costum *m costumbre*
detall *m detalle*
dubte *m duda*
esforç *m esfuerzo*
excusa *f escusa*
inconvenient *m inconveniente*
intenció *f intención*
objecció *f objeción*
passeig *m (= passejada) paseo*
reflexió *f reflexión*
relació *f relación*
resposta *f respuesta*
trobada *f encuentro*
vergonya *f vergüenza*

Expressions i frases fetes

Deixa-ho córrer. *Déjalo correr*
Estar segur de.../Estar-ne segur. *Estar seguro de.../Estar seguro*
Fer por (a algú) que... *Temer*
Fer la vida impossible. *Hacer la vida imposible*
Fer-se il·lusions. *Hacerse ilusiones*
Fer més por que una pedregada (seca). *Temer más que a la piel del diablo*
No tenir-ne ni idea. *No tener ni idea*
No veure-ho gaire clar. *No verlo muy claro*
No acabar de fer el pes a algú. *No me gusta mucho/No me acaba de convencer*
Pensar-s'ho bé. *Pensárselo bien*
Quedar bé/malament. *Quedar bien/mal*
Saber greu. *Saber mal, lamentar*
Tenir en compte. *Tener en cuenta*
Valer la pena. *Valer la pena*
Vols dir? *¿Seguro?*
No sé si... *No sé si*
Tingues en compte que... *Ten en cuenta que*

EXERCICIS ESCRITS

A) **Omple els buits amb el verb que tens entre parèntesis, en subjuntiu present i en la persona que s'indica.**

1 — Ens fa por que .... i no ens .... (venir, *ells*/trobar, *ells*)
2 — Em fa por que .... a la Neus que no la vull veure. (dir, *ella*)
3 — Ens fa por que .... poc puntual i et .... (ser, *tu*/deixar, *ells*)
4 — Li fa por que no .... bé la feina i el .... (fer, *ell*/despatxar, *ells*)
5 — Et fa por que .... amb aquest cotxe tan vell i .... un accident? (anar, *ell*/tenir, *ell*)

B) **Relacioneu amb fletxes les dues columnes, de manera que les expressions unides tinguin el mateix significat.**

1 — Fer la vida impossible.
2 — Fer més por que una pedregada seca.
3 — No acabar de fer el pes.
4 — Fer-se il·lusions.
5 — Saber greu.

a — Sentir llàstima.
b — Creure's que una cosa que es desitja molt es realitzarà.
c — No confiar en algun fet que ha de passar.
d — No acabar d'agradar.
e — Tractar molt malament algú.

C) **En la carta que tens a continuació s'han desordenat els paràgrafs:**

1 — Ordena'ls tenint present que l'ordre normal hauria de ser:

a) Justificació de la tardança a escriure.
b i c) Explicació d'una situació.
d i e) Demanar consell i posar objeccions a les 2 possibilitats.
f i g) Aconsellar i animar l'altra persona a prendre una decisió.
h) Acomiadar-se.

2 — Escriu una carta semblant a un amic teu, on li expliquis la teva indecisió a l'hora de triar entre dues possibilitats. Demana-li consell.

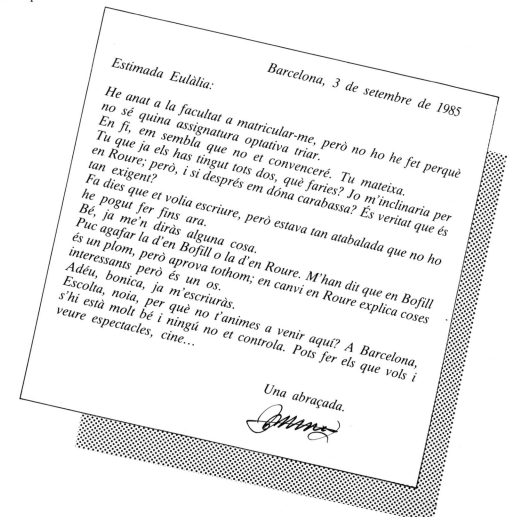

Estimada Eulàlia:

Barcelona, 3 de setembre de 1985

He anat a la facultat a matricular-me, però no ho he fet perquè no sé quina assignatura optativa triar.

En fi, em sembla que no et convenceré. Tu mateixa. Tu que ja els has tingut tots dos, què faries? Jo m'inclinaria per en Roure; però, i si després em dóna carabassa? És veritat que és tan exigent?

Fa dies que et volia escriure, però estava tan atabalada que no ho he pogut fer fins ara.

Bé, ja me'n diràs alguna cosa.

Puc agafar la d'en Bofill o la d'en Roure. M'han dit que en Bofill és un plom, però aprova tothom; en canvi en Roure explica coses interessants però és un os.

Adéu, bonica, ja m'escriuràs.

Escolta, noia, per què no t'animes a venir aquí? A Barcelona, s'hi està molt bé i ningú no et controla. Pots fer els que vols i veure espectacles, cine...

Una abraçada.

SOLUCIÓ DELS EXERCICIS I TRANSCRIPCIÓ DELS DIÀLEGS

1. — DIÀLEG

Transcripció

NEUS: Oh, és un animal. No té sensibilitat. Cinc anys que som nòvios! Tu, si fossis de mi, t'hi casaries?

MIQUEL: Jo, si fos de tu? La veritat, jo, si fos de tu, no en tinc ni idea.

NEUS: No ho veig gaire clar, saps? Tingues en compte que amb mi no té cap detall. Em deixa i m'agafa com... com una sabata vella. Això mateix! Em fa por que no sortirà bé. Aquesta història nostra no pot sortir bé.

MIQUEL: No sé què dir-te. En el fons..., molt en el fons, és bon noi. Pensa-t'ho. Digue-li que si no et tracta bé, no t'hi casaràs.

NEUS: No goso. És que en realitat, saps?, en realitat mai no m'ha dit que es vulgui casar amb mi...!

ALFONSO: Tu, en el meu lloc, què faries amb aquesta dona?

MIQUEL: Jo, callaria.

ALFONSO: Cinc anys que vaig amb ella. No sé si val la pena.

MIQUEL: Si no ho saps, pensa-t'ho bé.

ALFONSO: Tu, de mi, la deixaries, oi? Ho faries?

MIQUEL: Jo no dic res. Jo callo. I me'n vaig.

ALFONSO: Però on aniria, jo, sense ella? La necessito, l'estimo, Miquel!

MIQUEL: Estàs molt borratxo, Alfonso.

ALFONSO: Sí senyor, però tingues en compte que sense ella jo no seria ningú.

3. — Solució

a, c, f, g : Neus
b, d, e, h : Alfonso

6. — Transcripció

Benvolguda senyora Helena Fortuny:

Li escric per demanar-li un consell. Estic desesperat perquè m'havia fet moltes il·lusions amb una noia que veia cada dia i ara resulta que tot s'ha acabat. M'explicaré: Jo tinc un preciós gos d'aigües que cada vespre treia a passejar en una plaça que hi ha a la vora de casa meva. Cada dia, a la mateixa hora que jo, hi trobava una noia que també hi duia el seu gosset. Una noia bellíssima, que em mirava d'una manera especial. El passeig del gos se'm feia cada dia més agradable, només de pensar que em trobaria amb ella. Però jo no gosava dir-li res, perquè sóc extremadament vergonyós. Ella continuava amb les seves mirades, i jo abrigava la secreta esperança que algun dia ella em digués alguna cosa o que es presentés algun pretext per lligar conversa. L'altre dia finalment em vaig decidir. "Avui li diràs alguna cosa", vaig pensar. Però quan vaig arribar a la placeta, la vaig trobar asseguda en un banc, parlant amb una altra noia. No vaig sentir què li deia, però vaig notar que la seva amiga em mirava de dalt a baix. Aleshores vaig sentir clarament la veu del meu amor: "Què me'n dius?", va preguntar, "Oi que és maco?" El cor em va començar a bategar amb fúria, i jo vaig haver de fer grans esforços per comportar-me amb naturalitat. L'amiga em va tornar a mirar i li va dir —"Pse, no m'acaba de fer el pes. Té una cara molt vulgar". Jo estava vermell com un semàfor i indignat pel comentari d'aquella indesitjable. Però llavors va arribar el cop mortal que m'ha ensorrat definitivament. La veu d'ella, la veu que tantes nits havia volgut barrejar amb la meva, va pronunciar les paraules més cruels que mai no hagi sentit: «A qui et refereixes? Al noi? No, dona. Jo volia dir el gos... Ja fa dies que me'l miro i el trobo una preciositat".

Ai, senyora Helena! No pot imaginar-se el meu abatiment! No goso treure el gos a passejar per por de trobar-me de nou amb ella. Vostè, en el meu lloc, què faria? Perquè jo encara puc resistir el meu dolor, però el que no puc aguantar és el desfici del meu pobre gos, que es passa el dia grinyolant. La saluda atentament, el seu desesperat

AMADOR

Solució

a)

	Cert	Fals
1		X
2		X
3	X	
4	X	
5		X
6		X
7	X	
8	X	
9		X
10		X

b) resposta correcta: 6

SOLUCIÓ DELS EXERCICIS ESCRITS

A) **Omple els buits amb el verb que tens entre parèntesis, en subjuntiu present i en la persona que s'indica.**

1 — Ens fa por que *vinguin* i no ens *trobin* (venir, *ells*/trobar, *ells*)

2 — Em fa por que *digui* a la Neus que no la vull veure. (dir, *ella*)

3 — Ens fa por que *siguis* poc puntual i et *deixin* (ser, *tu*/deixar, *ells*)

4 — Li fa por que no *faci* bé la feina i el *despatxin* (fer, *ell*/despatxar, *ells*)

5 — Et fa por que *vagi* amb aquest cotxe tan vell i *tingui* un accident? (anar, *ell*/tenir, *ell*)

B) **Relacioneu amb fletxes les dues columnes, de manera que les expressions unides tinguin el mateix significat.**

1 — Fer la vida impossible.
2 — Fer més por que una pedregada seca.
3 — No acabar de fer el pes.
4 — Fer-se il·lusions.
5 — Saber greu.

a — Sentir llàstima.
b — Creure's que una cosa que es desitja molt es realitzarà.
c — No confiar en algun fet que ha de passar.
d — No acabar d'agradar.
e — Tractar molt malament algú.

C) **En la carta que tens a continuació s'han desordenat els paràgrafs:**

1 — Ordena'ls tenint present que l'ordre normal hauria de ser:

a) Justificació de la tardança a escriure.
b i c) Explicació d'una situació.
d i e) Demanar consell i posar objeccions a les 2 possibilitats.
f i g) Aconsellar i animar l'altra persona a prendre una decisió.
h) Acomiadar-se.

2 — Escriu una carta semblant a un amic teu, on li expliquis la teva indecisió a l'hora de triar entre dues possibilitats. Demana-li consell.

Barcelona, 3 de setembre de 1985

Estimada Eulàlia:

Fa dies que et volia escriure, però estava tan atabalada que no ho he pogut fer fins ara.
He anat a la facultat a matricular-me, però no ho he fet perquè no sé quina assignatura optativa triar. Puc agafar la d'en Bofill o la d'en Roure. M'han dit que en Bofill és un plom, però aprova tothom; en canvi en Roure explica coses interessants però és un os.
Tu que ja els has tingut tots dos, què faries? Jo m'inclinaria per en Roure; però, i si després em dóna carabassa? És veritat que és tan exigent?
Bé, ja me'n diràs alguna cosa.
Escolta, noia, per què no t'animes a venir aquí? A Barcelona, s'hi està molt bé i ningú no et controla. Pots fer el que vols i veure espectacles, cine... En fi, em sembla que no et convenceré. Tu mateixa.
Adéu, bonica, ja m'escriuràs.

Una abraçada

PROJECTES
Projectes, suggeriments i hipòtesis

> **Objectius comunicatius**
>
> L'objectiu d'aquesta unitat didàctica és aprendre a:
>
> — Expressar la intenció de fer alguna cosa.
> — Fer plans. Explicar quines decisions has pres, per quines raons i amb quina finalitat.
> — Suggerir de fer alguna cosa. Acceptar o refusar un suggeriment.
> — Formular hipòtesis (dir què faries en determinades circumstàncies).

EXPRESSAR INTENCIONS

1. — DIÀLEG

Escolta la conversa que va tenir en Miquel amb els seus pares, poques setmanes abans de venir a Catalunya i contesta les preguntes que tens al final de la pàgina.

MIQUEL: Mare, pare..., he de parlar amb vosaltres.
PARE: No t'ho deia, jo, que en duia alguna de cap?
MIQUEL: Ja sé que el que us diré no us farà gaire gràcia, però després de donar-hi cinquanta mil voltes he pres una decisió...
PARE: I es pot saber sobre què l'has presa, aquesta decisió?
MIQUEL: Sobre el meu futur i sobre la meva feina. Sobre el meu futur professional, vaja.
MARE: Fill meu, si no t'expliques més bé...
MIQUEL: Hi he estat rumiant molts dies... Fa tres anys que vaig acabar la carrera i encara no he trobat cap feina que tingui res a veure amb el que a mi m'agrada fer: dibuixar. He fet no sé quantes feinetes per anar tirant, però cap que m'interessi. M'agrada dibuixar i voldria viure del dibuix, però aquí no tindré mai gaires oportunitats... Ja tinc vint-i-quatre anys i això no pot continuar així. He decidit d'anar-me'n a Europa.
(...)

a) Sobre què ha pres una decisió en Miquel?
b) Què és el que li agrada fer, a en Miquel?
c) A quin lloc d'Europa ha decidit anar?
d) On pensa instal·lar-se?
e) Per què no vol anar a viure amb la seva tia?
f) Quant temps s'hi pensa quedar?

Busca al final del llibre el significat d'aquestes paraules i d'aquestes expressions:

> Empipar
> Rumiar
> Amb prou feines
> Donar-hi cinquanta mil voltes
> Dur-ne una de cap

2. — Fixa't en aquestes frases i repeteix-les.

> —He pres una decisió.
> —He decidit anar-me'n a Europa.
> —Ja has pensat on vols anar?
> —Penso anar a Catalunya.
> —T'hi penses quedar molt temps?
> —Encara, no ho he decidit.

Per expressar les seves decisions i les seves intencions, en Miquel ha utilitzat frases com:

> —He pres una decisió.
> —He decidit anar-me'n *a Europa*.
> —Penso anar *a Catalunya*.
> —Miraré de llogar un apartament.

Veiem, doncs, que podem utilitzar les fórmules següents:

HE DECIDIT (de) *PENSO*	INF
V. en futur	

3. — **Prenent com a model les frases corresponents al primer dibuix, escriu tres frases indicant les intencions de les persones que hi ha al dibuix.**

1
Anar a fer vacances en un balneari.

—**He decidit anar a fer vacances en un balneari.**

—**Penso anar a fer vacances en un balneari.**

—**Aniré a fer vacances en un balneari.**

2
Casar-se el mes que ve.

....
....
....
....
....

3
Acabar el secretariat.

....
....
....
....
....

Una intenció, a vegades, s'expressa com una possibilitat, sense el grau de certesa que hi havia en les frases anteriors. En aquest cas, utilitzem paraules com:

> **segurament**
> **potser**
> **a la millor**

FER PLANS

4. — DIÀLEG

En Xavier i la Isabel parlen del que faran aquest cap de setmana.

Escolta el diàleg

XAVIER: Què faràs aquest cap de setmana?
ISABEL: No ho sé, però segurament que si fa bon temps aniré a la platja. I tu què faràs?
XAVIER: Segurament em quedaré a casa a estudiar. Dilluns tinc un examen i encara no he estudiat gens. I en Carles i en Lluís què faran?
ISABEL: Al final han decidit que aniran d'excursió.
XAVIER: A on?
ISABEL: Pensen anar al Montseny.
XAVIER: Quina enveja!

Escolta novament el diàleg i completa'l.

5. — DIÀLEG

En el diàleg anterior hem sentit com un noi i una noia s'explicaven l'un a l'altre què pensaven fer, *per separat*, el cap de setmana. Ara sentiràs un altre diàleg. En aquest, dos nois intenten posar-se d'acord sobre el que podrien fer, *junts*, durant el cap de setmana.

Escolta el diàleg

NOI 1: Au, va!, decidim on anem.
NOI 2: I si anéssim d'excursió?
NOI 1: Ui, no. No en tinc ganes. I per què no anem a la platja?
NOI 2: Vols dir? Hi haurà molta gent. Escolta, i si en comptes d'anar a la platja anéssim a Girona a veure l'Àngel i la Roser? Fa molt de temps que ens diuen que hi anem i tinc ganes de veure'ls.
NOI 1: Bona idea!

6. — Fixa't ara en aquestes frases del diàleg que has escoltat abans i repeteix-les.

—**I si anéssim d'excursió?**
—**No en tinc ganes.**
—**Per què no anem a la platja?**
—**Vols dir? Hi haurà molta gent. I si en comptes d'anar a la platja anéssim a Girona?**

En aquest diàleg aquests personatges han fet els passos següents:

a) Proposar una activitat (**I si anéssim d'excursió?**)
b) Refusar una proposta (**No en tinc ganes**).
c) Proposar una altra activitat (**Per què no anem a la platja?**).
d) Posar objeccions a una proposta (**Vols dir? Hi haurà molta gent...**).
e) Suggerir una altra activitat (**I si en comptes d'anar a la platja anéssim a Girona?**)

En els punts (a) i (e) han usat l'imperfet de subjuntiu per formular una proposta, per suggerir de fer una activitat; en el punt (c), en canvi, han utilitzat el present d'indicatiu.

Més endavant veurem els models de conjugació de l'impefet de subjuntiu.

Ara fixem-nos en aquestes dues frases:

—**Per què no anem a la platja?**
—**Ui, no! I si em comptes d'anar a la platja anéssim a Girona?**

 7. — Escolta novament el diàleg i completa'l.

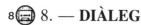 8. — **DIÀLEG**

En Miquel i la Carme es van conèixer en unes circumstàncies una mica especials. Ara l'atzar ha fet que es tornessin a trobar, però no saben ben bé com fer-ho per continuar la relació que havien iniciat.

Escolta el diàleg

CARME: Què, on anem?
MIQUEL: Podríem anar a ballar. T'agrada ballar?
CARME: Ja ho crec.
MIQUEL: Anem-hi?
CARME: És que estic molt cansada. Ho sento.
MIQUEL: I si anéssim a prendre alguna cosa en un bar i parlem una estona?
CARME: No, ja ho sé! Tinc una bona idea. I si anéssim al meu pis? Estarem més tranquils.
MIQUEL: Al teu pis?
CARME: Sí, al meu pis. Per què no?
MIQUEL: Fantàstic. Em sembla molt bona idea.

9. — Escolta novament el diàleg i completa'l.

FORMULAR HIPÒTESIS

L'imperfet de subjuntiu també ens serveix per formular hipòtesis. Fixa't en aquestes frases:

—*Si et **toqués** la loteria, què faries?*
—*On aniríeu si **tinguéssiu** cotxe?*
—*Si no **fos** tan tard li trucaria.*

L'imperfet de subjuntiu es forma afegint al radical del verb les terminacions següents:

MODELS		1a, 2a conj.		MODELS		3a conj.
Treballar	treball-	-és		Dormir	dorm-	-ís
Comprar	compr-	-essis		Obrir	obr-	-issis
Donar	don-	-és				-ís
Perdre	perd-	-éssim		Patir	pat-	-íssim
Témer	tem-	-éssiu				-íssiu
Saber	sab-	-essin		Servir	serv-	-issin

106

⚠ Fixeu-vos, però, en alguns verbs que tenen irregularitats en el radical.

SER
fos
fossis
fos
fóssim
fóssiu
fossin

ESTAR	
esti	gués
	guessis
	gués
	guéssim
	guéssiu
	guessin

TENIR	
tin	gués
	guessis
	gués
	guéssim
	guéssiu
	guessin

VENIR	
vin	gués
	guessis
	gués
	guéssim
	guéssiu
	guessin

VEURE	
vei	és
	essis
	és
	éssim
	éssiu
	essin

CAURE	
cai	gués
	guessis
	gués
	guéssim
	guéssiu
	guessin

I en l'imperfet de subjuntiu dels verbs:

ANAR
anés
anessis
anés
anéssim
anéssiu
anessin

PODER	
po	gués
	guessis
	gués
	guéssim
	guéssiu
	guessin

VOLER	
vol	gués
	guessis
	gués
	guéssim
	guéssiu
	guessin

HAVER	
ha	gués
	guessis
	gués
	guéssim
	guéssiu
	guessin

Què diuen aquestes persones? Mira els dibuixos del llibre i completa les frases com en l'exemple.

Ex. *tenir*

Si **tingués** diners, faria un viatge.

1 *anar*

Si ...... a peu, ja hi hauria arribat.

2 *haver-hi*

Si .... la Maria, em podria ajudar.

3 *saber*

Si .... la combinació, seria més fàcil.

4 *fer*

Si .... bon temps, sortiríem a passejar.

5 *estar*

Si .... més prim no em cansaria tant.

6 *caure*

Si ...., em mataria.

7 *poder*

Si ...., sortiria a comprar tabac.

8 *voler*

Si ella ...., m'hi casaria.

LÈXIC, EXPRESSIONS I FRASES FETES

Expressions i frases fetes	Verbs
Vols dir? *¿Tú crees?*	atracar *atracar*
Em sembla molt bé *Me parece muy bien*	calar-se (foc) *prenderse (fuego)*
Bona idea! *¡Buena idea!*	empipar *fastidiar*
Fantàstic! *¡Fantástico!*	ofegar-se *ahogarse*
No en tinc ganes *No tengo ganas*	rumiar *pensar*
No em ve de gust *No me apetece*	traslladar-se *trasladarse*
Amb prou feines *Apenas*	
Dur-ne una de cap *Traerse algo entre manos.*	
Donar-li voltes (a algun problema, a algun assumpte)	*Darle vueltas (a algún problema, a algún asunto)*

EXERCICIS ESCRITS

A) **Completa les frases següents, posant els verbs que hi ha entre parèntesis en la persona que correspongui de l'imperfet de subjuntiu.**

1. —Si .... aparcament en aquest carrer, no hauríem de caminar gaire. Ca la Maria és aquí mateix. (trobar)

2. —Si en aquesta plaça .... més bancs, s'hi estaria molt més bé. (haver-hi)

3. —Si aquests nens .... més quiets, podríem mirar la pel·lícula amb molta més tranquil·litat. (estar-se)

4. —Si no .... venir aquest dissabte, ja us telefonaria. (poder)

5. —Vigila, que aquesta escala es belluga molt, i si .... et faries molt mal. (caure)

6. —Si aquesta nit .... una pel·lícula bona a la TV, ens podríem quedar a casa. (fer)

7. —I si en comptes de demanar xampany .... el còctel del dia? A la millor ens agradarà més que el xampany. (demanar)

8. —Si l'Enric i la Núria ...., podríem anar al cine. (venir)

B) **Completa les frases següents. Fes com en l'exemple.**

Ex.: —*Aquest jersei de llana se m'ha encongit.*
—*Si no* **el rentessis** *amb aigua calenta, no se t'hauria encongit.* (rentar)

1. —Ens hem barallat amb en Joan.
   —Si no .... tant, no us hauríeu barallat. (discutir)

2. —Tinc molt mal de cap.
   —Si no .... a dormir tan tard, no en tindries. (anar-se'n)

3. —M'he deixat el paraigua a can Miquel.
   —Si no .... tan despistada, no te l'hi hauries deixat. (ser)

4. —El cotxe d'en Lluís és molt esportiu.
   —Si .... diners, segur que me'n compraria un d'igual. (tenir)

5. —Aquest pis, el trobo molt petit.
   —Si no hi .... tants mobles, segur que el trobaries una mica més gran. (tenir)

6. —No sé si venir a la festa.
   —Si ...., t'ho passaries bé, dona! (venir)

7. —No sé quin jersei comprar-me: el vermell o el groc.
   —I si et .... el vermell? Et faria conjunt amb la camisa. (comprar)

SOLUCIÓ DELS EXERCICIS I TRANSCRIPCIÓ DELS DIÀLEGS

1. — DIÀLEG

Transcripció

PARE: I en Miquel? Que no ve a sopar?

MARE: No ho sé... És a dalt a la seva habitació... A aquest noi no sé pas què li passa... Des de fa uns dies se'l veu preocupat. Es passa tot el dia tancat a l'habitació i amb prou feines parla amb ningú...

PARE: Ja en deu portar alguna de cap...

MIQUEL: Bona nit!

MARE: Ja era hora, eh...! O és que no vols sopar?

MIQUEL: Mare, pare..., he de parlar amb vosaltres.

PARE: No t'ho deia, jo, que en duia una de cap?

MIQUEL: Ja sé que el que us diré no us farà gaire gràcia, però després de donar-hi cinquanta mil voltes he pres una decisió...

PARE: I es pot saber sobre què l'has presa, aquesta decisió?

MIQUEL: Sobre el meu futur... i sobre la meva feina... Sobre el meu futur professional, vaja...

MARE: Fill meu, si no t'expliques més bé...

MIQUEL: Hi he estat rumiant molts dies... Fa tres anys que vaig acabar la carrera i encara no he trobat cap feina que tingui res a veure amb el que a mi m'agrada fer: dibuixar. He fet no sé quantes feinetes per anar tirant, però cap que m'interessi. M'agrada dibuixar i voldria viure del dibuix, però aquí no tindré mai gaires oportunitats... Ja tinc vint-i-quatre anys i això no pot continuar així. He decidit d'anar-me'n a Europa.

MARE: Ai, Jesús...! però fill meu...!

PARE: Però, Miquel... Aquí, si vols, també en trobaràs, de feina.

MARE: I tant! No cal pas anar tant lluny...!

MIQUEL: És que no és això, només: Tinc ganes de conèixer món, d'aprendre coses noves..., de viatjar.

PARE: I ja has pensat on vols anar?

MIQUEL: He pensat que... en fi, ja que a mi els idiomes no se'm donen gaire bé i que allà s'hi fan moltes revistes de còmics, penso anar a Catalunya...

PARE: Aquesta sí que és bona! Nosaltres en vam marxar per falta de feina i ara tu hi vols tornar a buscar-ne...

MARE: I justament ara, quan tenim tota la nostra vida organitzada aquí...

MIQUEL: Sí, ja ho sé, tot això... Però vosaltres sempre m'heu parlat de Catalunya, de Barcelona... És com si hi hagués viscut... Jo aquí no hi faig res i tinc ganes d'aprofitar el temps.

PARE: I estàs segur que allà no el perdràs, el temps?

MIQUEL: No ho sé. Però estic decidit i penso córrer el risc.

PARE: Noi, ja ets prou gran per saber el que et fas. Tu mateix...

MARE: I ja has pensat on viuràs?

MIQUEL: En alguna pensió o residència, i si les coses em van bé, miraré de llogar un apartament o un pis petit.

MARE: I, ja que vols anar a Barcelona, per què no vas a ca la tieta Assumpta?

MIQUEL: No, m'estimo més no haver d'empipar ningú... A més, necessito sentir-me independent... Ja havia pensat que, en tot cas, li podria escriure per dir-li que hi aniré...

PARE: I t'hi penses quedar molt temps?

MIQUEL: No ho sé... Encara no ho he decidit, però voldria provar de viure-hi un any com a mínim.

PARE: És ben bé que això és un món de mones. Nosaltres que som de Barcelona, vivim a Caracas i tu, que vas néixer aquí, te'n vols anar a Barcelona.

Solució

a) Sobre el seu futur.
b) Dibuixar.
c) A Catalunya.
d) En alguna pensió o residència, i si les coses li van bé, llogarà un apartament o un pis petit.
e) Perquè vol sentir-se independent.
f) No ho ha decidit encara, però en principi un any com a mínim.

3. — **Solució**

2. — Han decidit casar-se el mes que ve.
   — Pensen casar-se el mes que ve.
   — Es casaran el mes que ve.

3. — Ha decidit acabar el secretariat.
   — Pensa acabar el secretariat.
   — Acabarà el secretariat.

4. — DIÀLEG

Transcripció i solució

XAVIER: Què faràs aquest cap de setmana?
ISABEL: *No ho sé, però segurament que si fa bon temps aniré a la platja. I tu què faràs?*
XAVIER: Segurament em quedaré a casa a estudiar. Dilluns tinc un examen i encara no he estudiat gens. I en Carles i en Lluís què faran?
ISABEL: *Al final han decidit que aniran d'excursió.*
XAVIER: A on?
ISABEL: *Pensen anar al Montseny.*
XAVIER: Quina enveja!

7. — DIÀLEG

Transcripció i solució

NOI 1:   Au, va! decidim on anem.
NOI 2:   *I si anéssim d'excursió.*
NOI 1:   Ui, no. No en tinc ganes. I per què no anem a la platja?
NOI 2:   *Vols dir? Hi haurà molta gent. Escolta i si en comptes d'anar a la platja anéssim a Girona a veure a l'Àngel i la Roser? Fa molt de temps que ens diuen que hi anem i tinc ganes de veure'ls.*
NOI 1:   Bona idea!

9. — DIÀLEG

Transcripció i solució

CARME: Què, on anem?
MIQUEL: *Podríem anar a ballar. T'agrada ballar?*
CARME: Ja ho crec!
MIQUEL: *Anem-hi?*
CARME: És que estic molt cansada. Ho sento.
MIQUEL: *I si anéssim a prendre alguna cosa en un bar i parlem una estona?*
CARME: No, ja ho sé! Tinc una bona idea. I si anéssim al meu pis? Estarem més tranquils.
MIQUEL: *Al teu pis?*
CARME: Sí, al meu pis. Per què no?
MIQUEL: *Fantàstic! Em sembla molt bona idea.*

SOLUCIÓ DELS EXERCICIS ESCRITS

A) **Completa les frases següents, posant els verbs que hi ha entre parèntesis en la persona que correspongui de l'imperfet del subjuntiu.**

1. —Si *trobéssim* aparcament en aquest carrer, no hauríem de caminar gaire. Ca la Maria és aquí mateix. (trobar)
2. —Si en aquesta plaça *hi hagués* més bancs, s'hi estaria molt més bé. (haver-hi)
3. —Si aquests nens *s'estiguessin* més quiets, podríem mirar la pel·lícula amb molta més tranquil·litat. (estar-se)
4. —Si no *pogués* venir aquest dissabte, ja us telefonaria. (poder)
5. —Vigila, que aquesta escala es belluga molt, i si *caiguessis* et faries molt mal. (caure)
6. —Si aquesta nit *fessin* una pel·lícula bona a la TV, ens podríem quedar a casa. (fer)
7. —I si en comptes de demanar xampany *demanéssim* el còctel del dia? A la millor ens agradarà més que el xampany. (demanar)
8. —Si l'Enric i la Núria *vinguessin*, podríem anar al cine. (venir)

B) **Completa les frases següents. Fes com en l'exemple.**

Ex.: —*Aquest jersei de llana se m'ha encongit.*
  —*Si no **el rentessis** amb aigua calenta, no se t'hauria encongit.* (rentar)

1. —Ens hem barallat amb en Joan.
  —Si no *discutíssiu* tant, no us hauríeu barallat. (discutir)
2. —Tinc molt mal de cap.
  —Si no *te n'anessis* a dormir tan tard, no en tindries. (anar-se'n)
3. —M'he deixat el paraigua a can Miquel.
  —Si no *fossis* tan despistada, no te l'hi hauries deixat. (ser)
4. —El cotxe d'en Lluís és molt esportiu.
  —Si *tingués* diners, segur que me'n compraria un d'igual. (tenir)
5. —Aquest pis, el trobo molt petit.
  —Si no hi *tinguessis* tants mobles, segur que el trobaries una mica més gran. (tenir)
6. —No sé si venir a la festa.
  —Si *vinguessis*, t'ho passaries bé, dona! (venir)
7. —No sé quin jersei comprar-me: el vermell o el groc.
  —I si et *compressis* el vermell? Et faria conjunt amb la camisa. (comprar)

ESDEVENIMENTS
Narrar amb diversos graus de seguretat

Objectius comunicatius

L'objectiu d'aquesta unitat didàctica és aprendre a:

— Narrar un esdeveniment que ha succeït en un passat recent o que va succeir en un passat més llunyà.

— Expressar el grau de seguretat respecte a un fet narrat (certesa, incredulitat, dubte).

— Expressar sorpresa o perplexitat respecte a un fet narrat.

PER EXPRESSAR SORPRESA, DUBTE, INCREDULITAT, CERTESA

 1. — DIÀLEG

La Sra. Mercè ha vist una taca vermella a l'escala de casa seva. Com que havia sentit una discussió violenta entre dos veïns i ella és més aviat fantasiosa, s'imagina que hi ha hagut un assassinat i puja corrents al pis d'en Miquel i l'Alfonso per explicar-los el que ella creu que ha passat.

Escolta el diàleg

—Déu meu! Un mort a l'escala! Un assassinat!
—Què diu ara!
—N'està segura?
—Sí! I per culpa meva.
—Per culpa seva? De debò?
—Un assassinat passional!
—Han assassinat per vostè? És impossible!
—No és que hagin matat per culpa meva, animal! Però jo podia impedir-ho perquè ho sabia! Sabia que havia de passar!
—Ves per on!
—S'ho pot ben creure!

2. — Escolta i repeteix les frases següents fixant-te en l'entonació.

    —**Què diu ara!**
    —**N'està segura?**
    —**Per culpa seva? De debò?**
    —**Han assassinat per vostè? És impossible!**
    —**Ves per on!**
    —**S'ho pot ben creure!**

Els personatges han utilitzat aquestes frases per expressar sorpresa/perplexitat, dubte, incredulitat o certesa respecte a allò que es diu.

Així, **per expressar sorpresa**, en Miquel ha dit:
>—**Què diu ara!**
>—**Ves per on!**

I l'Alfonso, **per mostrar els seus dubtes** davant el que diu la Sra. Mercè, hem sentit que deia:
>—**N'està segura?**
>—**De debò?**

I encara, **per expressar la seva incredulitat**, ha dit:
>—**És impossible!**

Davant d'aquestes reaccions, la Sra. Mercè vol **manifestar la certesa, la seguretat** de les seves afirmacions
>—**S'ho pot ben creure!**

Aquestes i altres expressions, les usem, doncs, per manifestar diversos graus de **credibilitat** en allò que ens diuen o que diem.

SORPRESA O PERPLEXITAT	DUBTE
Què *dius* ara! No *fotis*! Ves per on! Vaja!	N'*estàs segur*? De debò? De veritat? *Vols* dir?
INCREDULITAT	CERTESA
No pot ser! És impossible!	*T'*ho *pots* ben creure! N'estic *segur*

Remarques: — L'expressió **no fotis!** només es fa servir en un llenguatge col·loquial, ja que està considerada com una expressió vulgar.
— Quan fem servir expressions d'aquest tipùs, l'entonació és tant o més important que les paraules en si mateixes. Un canvi d'entonació pot, en alguns casos, fer canviar el sentit d'aquestes expressions.
Per exemple: **de debò** i **de veritat** poden expressar perplexitat, incredulitat, dubte o certesa segons l'entonació amb què es diguin.

3. — **EXERCICI D'ENTONACIÓ**

a) Escolta i repeteix les expressions que sentiràs, fixant-te sobretot en la seva entonació.
b) Torna a escoltar-les i marca amb una creu la casella que els correspongui segons allò que expressin.

	1	2	3	4	5	6	7	8	9	10	11
SORPRESA											
INCREDULITAT											
DUBTE											
CERTESA											

PER NARRAR UN ESDEVENIMENT

Quan volem explicar una cosa que ens ha passat, solem començar per dir **quan** ha passat. Així usem expressions de temps com: **ahir...**, **aquest matí...**, **aquesta tarda...**, etc., però, si volem precisar més el moment en què ha tingut lloc algun fet, hi afegim oracions subordinades que introduïm amb adverbis com **mentre**, que expressa una simultaneïtat durativa o **quan**, que expressa simplement la simultaneïtat entre dues accions.

AQUEST/A	MATÍ TARDA, VESPRE, NIT, /...	MENTRE QUAN	IND imp,	pret indef	**Aquesta nit, mentre dormia, he sentit** *un soroll molt fort.*
		GERUNDI,			**Aquesta nit, dormint, he sentit** *un soroll molt fort.*

D'aquesta manera precisem més la circumstància temporal en la qual ha tingut lloc allò que volem explicar.
Fixa't bé, però, en el quadre anterior. Observa que, a vegades, en comptes d'oracions introduïdes per **mentre** o **quan**, usem **oracions de gerundi**.
Ex. *Aquesta tarda,* **quan venia cap a casa,** *he vist un accident.*
     Aquesta tarda, **venint cap a casa,** *he vist un accident.*

4. — **PRÀCTICA D'ESTRUCTURES**

Escolta i repeteix les frases següents.

—**Aquest matí, sortint del garatge, hem abonyegat el cotxe.**
▶ *Aquest matí, quan sortíem del garatge, hem abonyegat el cotxe.*

Practica-ho. Sentiràs ara unes frases com la primera del model, en les quals ha passat alguna cosa. Has de tornar-les a dir canviant **l'oració de gerundi** per una altra d'introduïda per **mentre** o per **quan**.

— Avui, mentre ...., m'he adormit.
— Aquesta tarda, mentre ...., he caigut.
— Aquest matí, quan ...., m'he quedat sense veu.
— Avui, mentre ...., m'he adonat que no sabia res.
— Aquesta tarda, quan ...., m'he quedat sense gasolina.

Una cosa molt important en una narració és la bona utilització dels temps verbals. En la pràctica anterior, usàvem el **pretèrit indefinit** en l'oració principal:
Aquest matí **hem abonyegat** *el cotxe*, i **l'imperfet** o **el gerundi** en la subordinada: *quan* **sortíem** *del garatge/***sortint** *del garatge*, perquè narràvem un fet que havia tingut lloc en un passat recent. Ara bé, recorda que, si volem explicar alguna cosa que va succeir en un passat més llunyà, hem d'usar el **pretèrit perfet** en l'oració principal: *L'altre dia* **vaig trobar** *en Ramon*. (Vegeu la unitat 31 d'aquest mateix llibre.)

També has de saber que en català l'ús del **gerundi** només és possible quan l'acció que s'hi expressa és simultània o anterior (i sovint causal) respecte de l'acció expressada pel verb principal.

> Exs. *Vaig caure* **anant** *amb bicicleta* ("*Anar amb bicicleta*" és anterior a "*caure*")
> *Ens vam trobar* **sortint** *del cine* (Ens vam trobar en el mateix moment que sortíem del cine)

Remarqueu la incorrecció que suposa usar el gerundi amb valor de posterioritat

> Ex. *Va sofrir un desmai,* ~~morint~~ *al cap de dues hores.*
>
> *Va sofrir un desmai i* **va morir** *al cap de dues hores.*

| L'ALTRE DIA, FA UNS QUANTS DIES, AQUELL DIA, /... | MENTRE QUAN | IND imp, | pret perf | L'altre dia, quan venia *cap aquí*, **vaig trobar** *en Ramon.* |
| | GERUNDI, | | | L'altre dia, venint *cap aquí*, **vaig trobar** *en Ramon.* |

5. — PRÀCTICA D'ESTRUCTURES

Escolta i repeteix aquesta frase.

▶ (Vosaltres) **Ahir, mentre** *discutíeu, us vau fumar* **dos paquets de tabac.**

Practica-ho:
Substitueix ara **discutir** i **fumar** pels verbs que hi ha entre parèntesis. El pronom que hi ha al començament de la frase t'indica la persona verbal que has d'utilitzar.

> — (Vosaltres) **Ahir, mentre** *discutíeu, us vau fumar* **dos paquets de tabac.**
>
> — (Nosaltres) Ahir, mentre ......, (sopar) .... (treure) la llum.
> — (Ells) L'altre dia, quan ...... (venir) cap aquí, ... (trobar) en Joan.
> — (Jo) Ahir, mentre ...., (dutxar-se) .... (trucar) tres cops el telèfon.
> — (Nosaltres) Ahir, quan .... (sortir) del cine, ... (començar) a ploure.

6. — PRÀCTICA D'ESTRUCTURES

Escolta aquestes frases.

a) ► **Aquesta tarda, quan feia el cafè, m'ha explotat la cafetera.**
—**No fotis! T'has fet mal?**

b) ► **Aquesta tarda, fent el cafè, m'ha explotat la cafetera.**
—**Què dius ara! T'has fet mal?**

Escolta i repeteix les frases anteriors.

Practica-ho:
Escolta la cassette. Sentiràs una sèrie de sorolls. Prenent com a model les primeres frases dels dos diàlegs anteriors, construeix-ne d'altres amb les paraules que tens escrites, que expliquin què ha passat o què va passar.

Ex. *Aquesta tarda/FER/cafè/EXPLOTAR/cafetera.*

Solució: — *Aquesta tarda,* | quan | *feia el cafè, m'ha explotat la cafetera.*
| mentre |
— *Aquesta tarda, fent el cafè, m'ha explotat la cafetera.*

1) Ahir al vespre/DUTXAR-SE/ACABAR-SE/aigua calenta.
2) Aquest migdia/RENTAR/plats/TRENCAR/dos.
3) Aquest matí/FREGAR/vidres TRENCAR-SE/FER-SE/tall/dit.
4) L'altre dia/VENIR/casa/VEURE/accident.

7. — DIÀLEG

La Sra. Mercè vol convèncer en Miquel i l'Alfonso que a l'escala hi ha hagut un assassinat i explica la seva visió dels fets als dos nois.

Escolta el diàleg i completa'l

—Ha passat al primer pis. Hi viu un matrimoni sense fills. ...., no eren feliços. I ....a consolar-la a ella. Això acabarà malament, pensava jo. I ja ho veuen.
—Nosaltres no hem vist res.
—Aquest matí, ..., ... Jo, naturalment, no escoltava, i .... i ....
—Quina hora era?
— .... "Faré un disbarat", cridava el marit. I ella deia: " .... "
—De debò deia això?
—S'ho pot ben creure. .... , ... , ... — .... que també pujava. .... era l'amant.
—No pot ser! I aleshores...?
— .... a l'habitació d'ells. .... i els ....

La Sra. Mercè fa conjectures. És a dir que dóna la seva versió dels fets a partir d'indicis. Això l'obliga a usar expressions com:

> **—Pel que sembla...**
> **—Devien ser...**
> **—Segons sembla...**
> **—Es veu que...**

que serveixen per donar un sentit de suposició a allò que es narra.

8. — EXERCICI DE PRONUNCIACIÓ

Escolta i repeteix aquesta frase. Fixa't en la pronunciació de les lletres impreses en negreta.

> ▶ *Pel que sembla, no feia res.*

Practica-ho.

┌─────────────────────────────────┐
│ ... no FER res   │
├─────────────────────────────────┤
│ ... DIR moltes mentides.   │
│ ... CONDUIR molt de pressa.   │
│ ... SUSPENDRE sempre.   │
│ ... no CREURE-S'HO.   │
└─────────────────────────────────┘

ORDRE DE LA NARRACIÓ

La narració suposa una enumeració ordenada de fets. I aquesta enumeració es fa mitjançant una sèrie de paraules com:

> **Primer...**
> **Després...**
> **Més tard...**
> **Llavors/Aleshores...**
> **Finalment/...**

a més de les que ja hem vista abans (**mentre/quan**) que determinen el moment en què té lloc cada fet, dins un ordre cronològic.

9. — Llegeix aquest text i subratlla-hi totes les paraules i les frases que indiquen el moment o l'ordre en què tenen lloc els fets narrats. Busca al diccionari les paraules que no entenguis.

Havien deixat endarrere els cinquanta anys, segur. Quan jo les vaig conèixer la Rosa, la germana petita, estava malalta —es passava pràcticament el dia al llit— i la Marteta, la gran, la cuidava.

Aquell dia la Marteta es va llevar d'hora. Primer va fer l'esmorzar per a la seva germana, l'hi va dur al llit i, mentre ella esmorzava, se'n va anar a comprar; després, se'n va anar a treballar.

A dos quarts de dues, quan va tornar, va fer el dinar, que, com cada dia, la seva germana va devorar amb una gana sorprenent: això sí, sempre sense moure's del llit.

Abans de sopar va endreçar la casa i havent sopat va cosir, rentar i planxar la roba, mentre la Rosa llegia unes quantes pàgines: no gaires, perquè ben aviat li venia la son.

Aquell vespre, mentre treia la pols dels mobles del menjador, la Marteta va caure a terra com un sac. No es va sentir ni un gemec. Al cap d'una estona, la Rosa la va cridar i, quan va veure que no li contestava, fent un esforç, es va aixecar i fins i tot va aconseguir de sortir al replà i trucar a la porta d'una veïna.

Dos dies després, quan la Marteta ja estava enterrada, la Rosa es va llevar a les nou i va anar a la perruqueria: des d'aleshores hi va cada dissabte. Els dimecres a la tarda va al cinema. I encara que la pensió que va deixar el seu pare, pobret, no dóna per a gaire, la seva diversió preferida és passar les tardes als grans magatzems, on hi ha sempre tanta gent, tanta animació i tantes coses per veure.

ESPINÀS, J.M. *Rosa, la malalta* dins *La gent tal com és,* Ed. Selecta, Barcelona 1971, pàgs. 21-24 (Adaptació)

 10. — **DIÀLEG**

La senyora Mercè ha sentit una discussió molt forta al pis de sota i després ha vist taques de sang a l'escala. Això li ha fet suposar que s'havia comès un assassinat. Però, vet aquí que, inesperadament, truca a la porta la suposada víctima.

Escolta el final de la història.

LÈXIC, EXPRESSIONS I FRASES FETES

Verbs
abonyegar *abollar*
adormir-se *dormirse*
cosir *coser*
cuidar *cuidar*
descobrir *descubrir*
endreçar *guardar (colocar una cosa en su sitio)*
explotar *explotar*
sentir *oír*
suspendre *suspender*

Adjectius
bessó/-ona *gemelo*

Adverbis
primer *primero*
després *después*
més tard *más tarde*
llavors/aleshores *entonces*
finalment *finalmente*

Substantius
assassinat *m asesinato*
comissaria *f comisaría*
ovni *m ovni*
soroll *m ruido*

Expressions i frases fetes
Què dius ara! *¡Qué me dices!*
No fotis! *¡No fastidies!*
Ves per on! *¡Quién lo iba a decir!*
Vaja! *¡Vaya!*

N'estàs segur? *¿Estás seguro?*
De debò?/De veritat? *¿De verdad?*
Vols dir? *¿Estás seguro? ¿En serio?*

No pot ser! *¡No puede ser!*
És impossible! *¡Es imposible!*

T'ho pots ben creure! *¡Puedes creerlo!*
N'estic segur! *¡Estoy seguro (de ello)!*

EXERCICIS ESCRITS

A) **A partir dels elements que et donem, fes frases semblants a les dels exemples. Tingues en compte que hi pot faltar algun element.**

Exs. Aquesta nit/mentre/dormir/fer/tro/fort/despertar-se/espantada.
Aquesta nit, mentre dormia, ha fet un tro tan fort que m'he despertat ben espantada.
Ahir/tornar/cine/perdre's.
Ahir, tornant del cine, em vaig perdre.

1 — Aquest matí/quan/venir/ens/abonyegar/cotxe.
....

2 — Es veu que/l'altre dia/mentre/actuar/els Comediants/ calar-se foc/teatre.
....
....

3 — Avui/mentre/estendre/roba/caure/estovalles/carrer.
....

4 — Ahir/vespre/mirar/televisió/us/quedar/adormits.
....

5 — Aquesta tarda/quan/dir-te/suspendre/espantar-te/eh?
....

B) **En aquest text, hi falten pronoms (...), els adverbis** *llavors, aleshores* **i** *mentre* **(2) i alguns verbs. Completa'l tenint en compte que els verbs que hi ha entre parèntesis, els has de posar en el temps i persones que els correspongui.**

L'Alba, una noia de catorze anys, ————————————— (tornar) de l'hort de casa seva, quan ..... ————————————— (parar-se) a renyar dos nois, que ——————————— (pegar) a un altre, i els ————————————— (dir):
—Què us —————————————? (fer)
I ells ————————————— (respondre) que no ..... ————————————— (voler) amb ells perquè ——————————— (ser) negre.
I —————————————, el cel i la terra ————————————— (començar) a vibrar i, ——————————— la tremolor de la terra ————————————— (augmentar), van veure una gran formació d'aparells que ..... ————————————— (acostar-se) sorollosament de la llunyania.
L'Alba, ——————————— (veure) els estranys objectes ovalats i plans que ——————————— (avançar) de pressa cap a la vila, ——————————— (dubtar) un moment, però ..... ——————————— (recordar-se) de nou que el fill de la seva veïna, en Dídac, ——————————— (desaparèixer) dins l'aigua i .... ————————————— (llançar-se). I ——————————— —...(mantenir-se) dins l'aigua, però sense tocar terra, ——————————— (arrencar) en Dídac d'entre les plantes aquàtiques i ————————————— ..... (arrossegar) amb una mà, ——————————— l'altra mà i les cames ——————————— (obrir) un solc cap a la superfície.
.... l'Alba, mentre .... ——————————— (girar-se), en adonar-se que la brusa .... ——————————— (fer-se) malbé, ——————————— (alçar) la vista cap al poble i ——————————— (obrir) la boca sense que li'n sortís cap so. Al seu davant, el poble ——————————— (semblar) un altre: els edificis .... ————————————— (ensorrar-se) i pertot .... ——————————— (haver) una gran quantitat de cadàvers.

PEDROLO, Manuel de, *Mecanoscrit del segon origen,* Ed. 62, Barcelona 1981.
(Adaptació)

122

SOLUCIÓ DELS EXERCICIS I TRANSCRIPCIÓ DELS DIÀLEGS

3. — **Solució**

	1	2	3	4	5	6	7	8	9	10	11
SORPRESA	X						X			X	
INCREDULITAT		X				X		X			X
DUBTE			X	X					X		
CERTESA					X						

6. — b) **Solució**

1) *Ahir al vespre, quan/mentre em dutxava, es va acabar l'aigua calenta.*
   Ahir al vespre, dutxant-me, es va acabar l'aigua calenta.

2) *Aquest migdia, quan/mentre rentava els plats, n'he trencat dos.*
   Aquest migdia, rentant els plats, n'he trencat dos.

3) *Aquest matí, quan/mentre fregava vidres, m'he fet un tall al dit.*
   Aquest matí, fregant els vidres, m'he fet un tall al dit.

4) *L'altre dia, quan / mentre venia cap a casa, vaig veure un accident.*
   L'altre dia, venint cap a casa, vaig veure un accident.

7. — DIÀLEG

Transcripció i solució

SRA. MERCÈ: —Ha passat al primer pis. Hi viu un matrimoni sense fills. *Pel que sembla*, no eren feliços. I *mentre el marit treballava venia un amic d'ell* a consolar-la a ella. Això acabarà malament, pensava jo. I ja ho veuen.

MIQUEL: —Nosaltres no hem vist res.

SRA. MERCÈ: —Aquest matí, *mentre em llevava, he sentit que el marit cridava.* Jo, naturalment, no escoltava, i *primer no ho sentia bé. Després he obert la finestra* i *llavors he sentit la discussió.*

ALFONSO: —Quina hora era?

SRA. MERCÈ: —*Devien ser cap allà dos quarts de nou.* "Faré un disbarat", cridava el marit. I ella deia: "*Quan te'n vagis, ell vindrà.*"

MIQUEL: —De debò deia això?

SRA. MERCÈ: —S'ho pot ben creure. *Més tard, tornant de comprar, quan pujava l'escala, he vist un home* que també pujava. *Segons sembla*, era l'amant.

ALFONS: —No pot ser! I aleshores...?

SRA. MERCÈ: —*Aleshores he sentit un soroll* a l'habitació d'ells. *Es veu que ha vingut el marit* i els *ha matat.*

9. — Solució

Havien deixat endarrere els cinquanta anys, segur. *Quan jo les vaig conèixer*, la Rosa, la germana petita, estava malalta —es passava pràcticament el dia al llit— i la Marteta, la gran, la cuidava.
Aquell dia la Marteta es va llevar d'hora. *Primer* va fer l'esmorzar per a la seva germana, l'hi va dur al llit i, mentre ella esmorzava, se'n va anar a comprar; *després*, se'n va anar a treballar.
A dos quarts de dues, quan va tornar, va fer el dinar, que, com cada dia, la seva germana va devorar amb una gana sorprenent: això sí, sempre sense moure's del llit.
Abans de sopar va endreçar la casa i *havent sopat* va cosir, rentar i planxar la roba, *mentre la Rosa llegia unes quantes pàgines:* no gaires, perquè *ben aviat* li venia la son.
Aquell vespre, mentre treia la pols dels mobles del menjador, la Marteta va caure a terra com un sac. No es va sentir ni un gemec. *Al cap d'una estona*, la Rosa la va cridar i, *quan va veure que no li contestava*, fent un esforç, es va aixecar i fins i tot va aconseguir de sortir al replà i trucar a la porta d'una veïna.
Dos dies després, quan la Marteta ja estava enterrada, la Rosa es va llevar a les nou i va anar a la perruqueria: *des d'aleshores* hi va *cada dissabte. Els dimecres a la tarda* va al cinema. I encara que la pensió que va deixar al seu pare, pobret, no dóna per a gaire, la seva diversió preferida és passar les tardes als grans magatzems, on hi ha sempre tanta gent, tanta animació i tantes coses per veure.

10. — DIÀLEG

VEÏNA: —Que hi és, la Sra. Mercè?
SRA. MERCÈ: —Ah, la morta adúltera?
VEÏNA: —Senyora Mercè, perdoni. A l'escala hi ha moltes taques. És culpa meva. Li volia dir que ja les trauré.
SRA. MERCÈ: —No pot ser, fantasma, la policia no voldrà que es toqui res. Descansi, jo la venjaré!
VEÏNA: —La policia? La policia ha de venir per unes taques de pintura vermella?
SRA. MERCÈ: —Pintura vermella?
ALFONSO: —Pintura vermella!
MIQUEL: —Pintura vermella!
VEÏNA: —Sí senyora.
SRA. MERCÈ: —Expliqui's.
VEÏNA: —Veuran. Fa uns quants dies, quan vaig adonar-me que el meu marit estava trist...
ALFONSO: —De debò estava trist?
VEÏNA: —De debò. Molt. Deia que es fa vell. Jo, que l'estimo, primer no sabia què fer. Però després, sortint de casa, a la botiga d'aquí davant, vaig veure una pintura vermella molt bonica i vaig decidir pintar l'habitació de matrimoni de color vermell.
MIQUEL: —Vol dir, senyora?
VEÏNA: —M'havin dit que és afrodisíac.
ALFONSO: —No foti!
VEÏNA: —Com que tinc el marit trist... Vaig pensar que provar-ho no costava res. Volia que fos una sorpresa, però aquest matí el meu home ha descobert els pots de pintura. Sí, en el moment que anava a sortir de casa ha vist els pots i m'ha preguntat si m'havia tornat boja. Li he dit que ho feia per ell, que avui venia el pintor. S'ho poden ben creure, fins i tot m'ha cridat! Ell, tan pacífic! Però, mentre era fora, ha vingut el pintor i s'ha posat a pintar. Aleshores, devien ser cap a quarts d'una, ha arribat el meu marit abans d'hora i quan ha vist les parets mig pintades de vermell ha quedat verd.
                     Ha llençat els pots de pintura per l'escala! De debò! Una baralla... Però..., però després... Sembla que era veritat. El color vermell és afrodisíac. Ves per on. Vaig tenir una bona idea.

SOLUCIÓ ALS EXERCICIS ESCRITS

A) **A partir dels elements que et donem, fes frases semblants a les dels exemples. Tingues en compte que hi pot faltar algun element.**

Exs.   Aquesta nit / nit / mentre / dormir / fer / tro / fort / despertar-se / espantada.
Aquesta nit, mentre dormia, ha fet un tro tan fort que m'he despertat ben espantada.
Ahir / tornar / cine / perdre's.
Ahir, tornant del cine, em vaig perdre.

1 — Aquest matí / quan / venir / ens / abonyegar / cotxe.
Aquest matí, quan veníem ens han abonyegat el cotxe.

2 — Es veu que / l'altre dia / mentre / actuar / els Comediants / calar-se foc / teatre.
Es veu que l'altre dia, mentre actuaven els Comediants, es va calar foc al teatre.

3 — Avui / mentre / estendre / roba / caure / estovalles / carrer.
Avui, mentre estenia la roba, m'han caigut les estovalles al carrer.

4 — Ahir / vespre / mirar / televisió / us / quedar / adormits.
Ahir al vespre, mirant la televisió, us vau quedar adormits.

5 — Aquesta tarda / quan / dir-te / suspendre / espantar-te / eh?
Aquesta tarda, quan t'he dit que havies/t'havien suspès, t'has ben espantat, eh?

B) **En aquest text, hi falten pronoms (...), els adverbials *llavors*, *aleshores* i *mentre* (2) i alguns verbs. Completa'l tenint en compte que els verbs que hi ha entre parèntesis, els has de posar en els temps i persones que els correspongui.**

L'Alba, una noia de catorze anys, *tornava* (tornar) de l'hort de casa seva, quan *es va parar* (parar-se) a renyar dos nois, que *pegaven* (pegar) a un altre, i els *va dir* (dir):
—Què us *ha fet*? (fer)
I ells *van respondre* (respondre) que no *el volien* (voler) amb ells perquè *era* (ser) negre.
I *llavors/aleshores*, el cel i la terra *van començar* (començar) a vibrar i, *mentre* la tremolor de la terra *augmentava* (augmentar), van veure una gran formació d'aparells que *s'acostava* (acostar-se) sorollosament de la llunyania.
L'Alba, *veient* (veure) els estranys objectes ovalats i plans que *avançaven* (avançar) de pressa cap a la vila, *va dubtar* (dubtar) un moment, però *es va recordar* (recordar-se) de nou que el fill de la seva veïna, en Dídac, *havia desaparegut* (desaparèixer) dins l'aigua i *s'hi va llançar* (llançar-se). I *mantenint-se* (mantenir-se) dins l'aigua, però sense tocar terra, *va arrencar* (arrencar) en Dídac d'entre les plantes aquàtiques i *va arrossegar-lo* (arrossegar) amb una mà, *mentre* l'altra mà i les cames *obrien* (obrir) un solc cap a la superfície.
I *llavors/aleshores* l'Alba, mentre *es girava* (girar-se), en adonar-se que la brusa *se li havia fet* (fer-se) malbé, *va alçar* (alçar) la vista cap al poble i *va obrir* (obrir) la boca sense que li'n sortís cap so. Al seu davant, el poble *semblava* (semblar) un altre: els edificis *s'havien ensorrat* (ensorrar-se) i pertot *hi havia* (haver) una gran quantitat de cadàvers.

RECRIMINACIONS
Recriminacions, excuses i disculpes

Objectius comunicatius

L'objectiu d'aquesta unitat didàctica és aprendre a:

— Recriminar a algú de no haver fet cas d'una advertència.
— Recriminar a algú d'haver fet o d'haver deixat de fer alguna cosa de la qual es deriva alguna conseqüència greu.
— Disculpar-se explicant les causes per les quals s'ha fet o s'ha deixat de fer alguna cosa.
— Acceptar o refusar les disculpes.

RECRIMINACIONS

1. — *L'Alfonso no va advertir en Miquel que la rentadora no funcionava bé. S'hi ha rentat la roba i se li ha encongit. Està desolat perquè tenia una cita amb la Carme i no té més roba per posar-se. En parla amb en Toni.*

Escolta el diàleg i completa les frases següents:

a) —No et va dir que ....? (VIGILAR)
b) —No t'he dit moltes vegades que no ....
.... ? (REFIAR-SE'N)
c) —No t'he dit que .... (ANAR) amb compte?
d) —Ja li havia dit a l'Alfonso que no ....
.... (JUGAR) amb tu.

Quan recriminem a algú de no haver seguit un consell, unes instruccions o unes ordres, usem l'imperfet de subjuntiu

IMP   **SUBJ imp**
Ex.   *Vigila!*   →   *No et vaig dir que* **vigilessis?**

Ja hem tractat l'imperfet de subjuntiu en unitats anteriors (5, 8, 9) i hem vist alguns casos d'irregularitats en el radical. Però el nombre més gran de casos d'irregularitat en el radical es deriva del fenomen de "velarització" que presenten la majoria de verbs de la segona conjugació. Aquest fenomen consisteix en l'aparició del so velar representat per la lletra **c** a la primera persona del present d'indicatiu i del so velar representat pel dígraf **gu** al present i a l'imperfet de subjuntiu.

INF (2a conj)	IND pres	SUBJ pres	SUBJ imp
CREURE	crec	cregui	cregués
		creguis	creguessis
		cregui	cregués
		creguem	creguéssim
		cregueu	creguéssiu
		creguin	creguessin
RIURE	ric	rigui / ...	rigués / ...
BEURE	bec	begui / ...	begués / ...
etc.			

També verbs com **tenir**, **venir** i **estar** presenten fenòmens de velarització.
Noteu, finalment, els casos d'irregularitat especial en verbs com **treure** i **córrer** (**IND pres** *trec*, *corr*o)

SUBJ pres			SUBJ imp	
TREURE	CÓRRER		TREURE	CÓRRER
tregui	corri		tragués	corregués
treguis	corris		traguessis	correguessis
tregui	corri		tragués	corregués
traguem	correm	(correguem)	traguéssim	correguéssim
tragueu	correu	(corregueu)	traguéssiu	correguéssiu
treguin	corrin		traguessin	correguessin

Escolta i repeteix les advertències i les recriminacions consegüents per no haver seguit el consell donat.

No us estigueu tanta estona al sol

▶ **Ja** *us* **ho deia, que no** *us estiguéssiu tanta estona al sol*

Ex. ESTAR-SE

Practica-ho: Escolta a la cassette l'advertència que es fa a les persones de les il·lustracions de l'esquerra i fes les recriminacions pertinents segons vegis les conseqüències que han sofert per no haver fet cas de l'advertència.

RIURE-SE'N

CÓRRER

TREURE'S

BEURE

3. — PRÀCTICA D'ESTRUCTURES

Escolta aquest diàleg

> ► **No li va dir que no ho** *fes?*
> —**No, no li va dir res.**

Escolta i repeteix el diàleg anterior.

Practica-ho: Fes la intervenció marcada, en la qual es demana si algú ha fet alguna advertència, canviant el verb que hi ha en cursiva pels que et donem a continuació.

$$\boxed{\text{FER}} \quad \rightarrow \quad \boxed{\text{ENCENDRE/TOCAR/VENDRE/DIR/DUR}}$$

4. — PRÀCTICA D'ESTRUCTURES

Escolta i repeteix aquesta advertència feta en un imperatiu negatiu.

► **No** *rigueu!*

Practica-ho: Fes altres advertències, però ara canviant el verb riure pels que et donem a continuació.

$$\boxed{\text{RIURE}} \quad \rightarrow \quad \boxed{\text{BEURE/MIRAR/SEURE/MOURE'S/TRUCAR/VENIR/CÓRRER}}$$

DISCULPES/EXCUSES

5. — Ara sentiràs dos diàlegs en els quals una persona recrimina a una altra de no haver fet una cosa que li havia dit fa un moment o li va dir fa dies. L'altra persona es justifica.

En el primer diàleg una mare recrimina al seu fill de no haver anat a dormir a l'hora que li havia dit i en el segon, una dona recrimina al seu home de no haver anat a pagar el rebut del telèfon.

Escolta els diàlegs i completa'ls fent primer la intervenció corresponent a la mare i després la corresponent a la dona.

Mare: .... ?
Fill: És que he hagut de fer molts
    deures.
Mare: .... ?
Fill: Sí, però ...
Mare: ....!

Dona: .... ?
Home: No, hi volia anar ahir, però
    no vaig poder.
Dona: .... ?
Home: Sí, però vaig haver de fer mol-
    tes coses i em va ser impossible.
Dona: ....

Fixeu-vos com expressen les justificacions o excuses el fill i l'home.

Fill: ... **he hagut de** *fer molts deures*
Home: ... **vaig haver de** *fer moltes coses*

Tots dos utilitzen la perífrasi d'obligació **HAVER + de + INF**, però el fill la utilitza en **pretèrit indefinit**, perquè es refereix a un temps passat que considera "actual" (avui), i l'home la utilitza en **pretèrit perfet perifràstic**, perquè es refereix a un temps passat que no considera "actual", sinó passat (ahir) (vegeu **U.31** d'aquest mateix llibre)

Fixeu-vos que la perífrasi d'obligació es conjuga igual que la resta de verbs, amb la particularitat que el verb conjugat és **haver**, seguit de la preposició **de** i d'un **infinitiu**. Així, per exemple, si agafem com a infinitiu el verb **fer**, la perífrasi d'obligació en present és **he** *de fer,* **has** *de fer/...,* en imperfet **havia** *de fer / ...,* en indefinit **he hagut** *de fer / ...,* en perfet perifràstic **vaig haver** *de fer /...,* etc.

6. — PRÀCTICA D'ESTRUCTURES

Escolta el diàleg següent

—Com és que has arribat tan tard?

▶ **És que** *he hagut de fer molta cua.*

Escolta i repeteix el diàleg anterior.

Practica-ho: Fes la intervenció marcada canviant el motiu de l'excusa pels que et donem a continuació. (Tingues en compte el moment en què s'ha realitzat o es va realitzar aquesta acció.)

fer molta cua	→	venir amb el tren correu / anar a una reunió anar a cal metge / marxar corrents

7. — Cada una de les preguntes que sentiràs té com a resposta una de les excuses que et donem a continuació. Relaciona el número d'ordre de les preguntes amb la lletra de la resposta.

a) Perquè vaig haver d'anar a cal dentista.
b) Perquè hi havia molta cua.
c) Sí, però és que abans he hagut de passar en net els informes que em va donar ahir.
d) Perquè vaig haver de comprar regals per a tota la família.
e) Perquè no sabia a quina hora arribava el tren.

8. — Escolta el diàleg i respon.

1r La senyoreta Olga recrimina al senyor Gil ...

a) —que ....
b) —que ....
c) —que ....

2n El senyor Gil per disculpar-se diu ...

d) — ....

El senyor Gil per justificar-se diu ...

e) — ....

3r La senyoreta Olga li respon ...

f) — ...., senyor Gil

La senyoreta Olga es disculpa ...

g) — ....

Hi ha diverses maneres de demanar disculpes. Vegem-ne concretament dues de molt habituals, representades en els quadres següents:

	SN		Perdona la meva brusquedat
PERDONA	DE PER	V (INF COMP) ...	Perdoni'm d'haver estat tan brusca
DISCULPA	QUÈ HAGI/HÀGIM + PART...		Disculpeu que hagi estat tan brusca

EM SAP *M'*HA SABUT *EM* VA SABER	(MOLT (DE)) GREU (DE) + V ... INF COMP	Em sap greu haver-te ofès Ens ha sabut molt de greu haver fet tard Em va saber molt de greu d'haver-lo insultat

Vegeu algunes expressions per respondre a les excuses:
— de refús (a l'esquerra de la il·lustració)
— d'acceptació (a la dreta de la il·lustració)

9. — **PRÀCTICA D'ESTRUCTURES**

Escolta el diàleg

▶ *Em va saber* **molt de greu de no recordar-*me'n*.**

—**Deixa-ho córrer**

Escolta i repeteix el diàleg.

Practica-ho: Fes la intervenció marcada substituint *Em va saber* per les expressions del quadre. (Tingues en compte que en canviar el pronom *em* del verb *saber*, també canviarà el pronom *-me* del verb *recordar*)

Em va saber	→	Li ha sabut/Ens ha sabut/Els va saber/M'ha sabut

LÈXIC, EXPRESSIONS I FRASES FETES

Verbs

anar amb compte *tener cuidado,*
                      andarse con ojo
cancel·lar *cancelar*
compadir *compadecer*
controlar *controlar*
creure *creer*
encendre *encender*
encongir *encoger*
estendre *tender*
fer malbé *estropear, echar a perder*
fiar-se *fiarse*
justificar-se *justificarse*
moure *mover*
ordenar (= posar en ordre) *ordenar*
refiar-se *confiar*
seure *sentarse*
trametre *enviar, transmitir*
treure *sacar, quitar*
vendre *vender*

Substantius

comanda f *pedido*
deures m *deberes*
encàrrec m *encargo, recado*
iniciativa f *iniciativa*
oferta f *oferta*
rebut m *recibo*
retard m *retraso*
termini m *plazo*

Adjectius

brusc/-a *brusco*
eficient *eficiente*
estricte/-a *estricto*

Locucions adverbials

fins i tot *incluso*

Pronoms

tothom *todos, todo el mundo*

Expressions i frases fetes

No hi valen excuses *No hay excusa que valga*
Això no ho accepto *Esto no lo acepto*
De cap de les maneres *De ninguna manera*
Això no pot continuar així *Esto no puede seguir así*
Ja n'estic tip/-a *Ya estoy harto/-a*
Deixa-ho estar/Deixa-ho córrer *Déjalo correr*
No en parlem més/No se'n parli més *No se hable más*
No t'hi amoïnis *No te preocupes más por ello*
No t'amoïnis *No te preocupes*
No hi pensis més *No pienses más en ello*

EXERCICIS ESCRITS

A) Omple els buits amb els verbs que hi ha entre parèntesis en el temps i la persona que creguis convenients.

Ex. *Enric, no **vinguis** (venir) tard i no ens **facis** (fer) esperar com sempre.*

1 —Vam dir a en Francesc que no .... (encendre) aquell foc i que no .... (ser) tan imprudent.
2 —Avi, no .... (prendre's) aquestes porqueries: el metge ja li va dir que .... (prendre) els medicaments i res més.
3 —No us han dit que no .... (moure's)? Doncs no .... (moure's).
4 —Li vaig dir que no .... (seure), que era millor que .... (estar-se) dret.
5 —Els vam aconsellar que .... (vendre's) aquell pis i que ....(anar-se'n) a viure a fora.
6 —No t'ho .... (creure), això que diu en Ricard; si ens .... (dir) la veritat, faria un altre posat.
7 —Maria, no cal que .... (dur) res... Escolta, si .... (tenir) una mica de pa, potser ens aniria bé. No en tenim gaire.
8 —Home, Pep, si .... (venir) estaríem molt contents; però no .... (venir) per obligació.

B) Respon les preguntes següents, donant l'explicació que tens expressada entre parèntesis.

Ex. —Com és que no ha vingut en Josep?
—*Perquè ha hagut d'anar a fer-se el carnet d'identitat*
(anar a fer-se el carnet d'identitat)

1 —Per què no vas acabar de pintar-la ahir?
—..
(esperar que s'assequés la primera capa)
2 —Com és que no vau venir a l'homenatge?
—..
(treballar tot el dia)
3 —Per què no han anat a col·legi, els nens?
—..
(anar a vacunar-se)
4 —Per què no ens heu esperat?
—..
(anar a dinar a ca l'àvia)
5 —Com és que vas arribar tan tard?
—..
(acompanyar la Lídia)

SOLUCIÓ DELS EXERCICIS I TRANSCRIPCIÓ DELS DIÀLEGS

1. — DIÀLEG

Transcripció i solució

TONI: I no et va dir l'Alfonso que anessis amb compte?
MIQUEL: No em va dir res.
TONI: No et va dir que *vigilessis*?
MIQUEL: No. Ara què faig? Jo em vull morir!
TONI: Tots ens morirem, qualsevol dia. Això et passa per haver-te'n refiat.
No t'he dit moltes vegades que no *te'n refiessis*? No t'he dit que està boig, que *anessis* amb compte?
MIQUEL: Així no puc sortir de casa. Fins i tot he fet mal fet de venir aquí. Pel carrer tothom es reia de mi.
TONI: És clar, però si no saps fer anar una màquina tan senzilla... Si no saps anar pel món...
MIQUEL: Per dir-me això no et necessito. Jo necessito que em compadeixin. Això necessito, jo.
TONI: Ja li havia dit a l'Alfonso que no *jugués* amb tu, que ets un pobre innocent i que...
MIQUEL: Jo no sóc un pobre innocent!
TONI: Ets un desastre. I l'Alfonso un altre desastre!
MIQUEL: Què faig, jo, ara?

5. — DIÀLEGS

Transcripció i solució

MARE: *Què fas llevat a aquestes hores?*
FILL: És que he hagut de fer molts deures.
MARE: *Molts deures? Molta televisió! No t'havia dit que te n'anessis a dormir a les deu?*
FILL: Sí, però...
MARE: *Ja n'hi ha prou! Apa, a dormir!*

DONA: *Em sembla que ens han tallat el telèfon. Que vas anar a pagar el rebut?*
HOME: No, hi volia anar, però no vaig poder.
DONA: *Mira que t'ho vaig dir, que ho fessis urgentment.*
HOME: Sí, però vaig haver de fer moltes coses i em va ser impossible.
DONA: *Doncs mira, ara no es pot trucar.*

7. — Solució

1) *c*
2) *a*
3) *b*
4) *e*
5) *d*

8. — DIÀLEG

Transcripció

Sr. GIL: Miri, senyoreta, això no pot continuar així.
SECRETÀRIA: Escolti, senyor Gil, ja n'estic tipa. Me'n vaig d'aquesta feina.
Sr. GIL: Com? Perdoni, però no l'entenc.
SECRETÀRIA: Que me'n vaig, que ja en tinc prou, d'aquestes animalades que em fan fer.
Sr. GIL: Però, senyoreta, expliqui's.
SECRETÀRIA: Ja l'hi he dit moltes vegades. Li he dit mil vegades que em deixés més iniciativa, que no em vigilés i controlés a tothora, que em donés més responsabilitat. Però vostè no se

n'ha fiat mai de mi.

Sr. GIL: Perdoni, Olga. Perdoni que hagi estat tan estricte amb vostè, però he hagut de complir les normes de l'empresa. Ja sap que jo la considero molt eficient i...

SECRETÀRIA: No s'hi amoïni, senyor Gil. Em sap molt de greu d'haver estat tan brusca i em sap molt de greu marxar així, però no cal que es justifiqui. La decisió ja està presa. Ja tinc una altra feina.

Solució

a) — que *no l'hi hagi deixat més iniciativa.*
b) — que *la vigila i controla a tothora.*
c) — que *no li dóna cap/més responsabilitat.*
d) — *perdoni que hagi estat tan estricte amb vostè.*
e) — *he hagut de complir les normes de l'empresa.*
f) — *No s'hi amoïni*, senyor Gil.
g) — *Em sap molt de greu d'haver estat tan brusca.*

SOLUCIÓ DELS EXERCICIS ESCRITS

A) **Omple els buits amb els verbs que hi ha entre parèntesis en el temps i la persona que creguis convenients.**

Ex. *Enric, no* **vinguis** *(venir) tard i no ens* **facis** *(fer) esperar com sempre.*

1 —Vam dir a en Francesc que no *encengués* (encendre) aquell foc i que no *fos* (ser) tan imprudent.
2 —Avi, no *es prengui* (prendre's) aquestes porqueries: el metge ja li va dir que *prengués* (prendre) els medicaments i res més.
3 —No us han dit que no *us moguéssiu* (moure's)? Doncs no *us mogueu* (moure's).
4 —Li vaig dir que no *segués* (seure), que era millor que *s'estigués* (estar-se) dret.
5 —Els vam aconsellar que *es venguessin* (vendre's) aquell pis i que *se n'anessin*, (anar-se'n) a viure a fora.
6 —No t'ho *creguis* (creure), això que diu en Ricard; si ens *digués* (dir) la veritat, faria un altre posat.
7 —Maria, no cal que *duguis* (dur) res... Escolta, si *tinguessis* (tenir) una mica de pa, potser ens aniria bé. No en tenim gaire.
8 —Home, Pep, si *vinguessis* (venir) estaríem molt contents; però no *vinguis* (venir) per obligació.

B) **Respon les preguntes següents, donant l'explicació que tens expressada entre parèntesis.**

Ex. —*Com és que no ha vingut en Josep?*
—**Perquè ha hagut d'anar a fer-se el carnet d'identitat**
(anar a fer-se el carnet d'identitat)

1 —Per què no vas acabar de pintar-la, ahir?
—*Perquè vaig haver d'esperar que s'assequés la primera capa.*
(esperar que s'assequés la primera capa)
2 —Com és que no vau venir a l'homenatge?
—*Perquè van haver de treballar tot el dia.*
(treballar tot el dia)
3 —Per què no han anat a col·legi, els nens?
—*Perquè han hagut d'anar a vacunar-se.*
(anar a vacunar-se)
4 —Per què no ens heu esperat?
—*Perquè hem hagut d'anar a dinar a ca l'àvia.*
(anar a dinar a ca l'àvia)
5 —Com és que vas arribar tan tard?
—*Perquè vaig haver d'acompanyar la Lídia.*
(acompanyar la Lídia)

RETRETS I ESPECULACIONS SOBRE FETS PASSATS

Objectius comunicatius

L'objectiu d'aquesta unitat didàctica és aprendre a:

— Lamentar-se d'haver oblidat de fer una cosa o d'haver fet alguna cosa malament.
— Retreure a algú alguna cosa que ha fet o ha deixat de fer.
— Narrar un esdeveniment passat, expressant alleujament i fent especulacions sobre el que hauria pogut passar.
— Preguntar sobre accions possibles a partir d'una hipòtesi prèvia. Respondre-hi.

FER RETRETS

1. — DIÀLEG

En Miquel, l'Alfonso, la Neus i la Sra. Mercè han decidit fer una excursió a Montserrat.
Quan estan a punt de sortir, comencen a fer-se retrets mútuament.

Escolta el diàleg i escriu a dins els globus el que diu cada un d'ells.

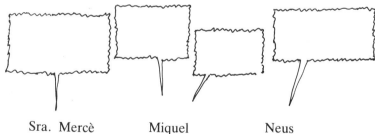

Sra. Mercè   Miquel   Neus

—Hauríem d'haver anat a dinar en un restaurant.
—No havíem d'haver dit a en Miquel on anàvem.
—No havíem d'haver sortit.
—No hauries d'haver dit a la senyora Mercè que anàvem d'excursió.

Fixa't que, per fer-se retrets mútuament, els nostres personatges han usat aquestes estructures.

(NO) *HAVIA* D'HAVER + PART	**Havia d'haver tancat** *la porta amb clau.*
(NO) *HAURIA* D'HAVER +PART	**Hauria d'haver agafat** *un jersei més gruixut.*

També és interessant veure de quina manera s'increpen:

> —*Mira que* **n'***ets,* **de rondinaire!**
> —*Mira que* **en** *sou,* **de desgraciats!**

En aquestes dues frases, el terme atributiu (*rondinaire* i *desgraciat*) és representat doblement: pel pronom **en** (**n'** / **en**) i per l'adjectiu precedit de la preposició **de**. Amb aquesta construcció col·loquial es pretén donar un to més emfàtic a l'exclamació.

Per mecanitzar aquestes estructures, fes els exercicis orals següents:

 ## 2. — PRÀCTICA D'ESTRUCTURES

Escolta aquest diàleg

> —**No he pensat a agafar el paraigua.**
> ▶ *L'*havies d'haver *agafat.*

Escolta i repeteix el diàleg anterior.

Practica-ho: Fes els retrets pertinents, segons el model que acabes d'escoltar.

 ## 3. — PRÀCTICA D'ESTRUCTURES

Escolta aquest diàleg

> —**He deixat el llum encès.**
> ▶ *L'*hauries d'haver *apagat.*

Escolta i repeteix el diàleg anterior.

Practica-ho: Fes els retrets pertinents, segons el model que acabes d'escoltar.

 ## 4. — PRÀCTICA D'ESTRUCTURES

Escolta aquest diàleg

> —**En Joan s'ha deixat les claus del cotxe.**
> ▶ **Mira que n'és, de** *despistat.*

Escolta i repeteix el diàleg anterior

Practica-ho

Substitueix | despistat | per | gandul/maniàtic/rondinaire/pesat

5. — Mira aquests dibuixos i, utilitzant aquests verbs, construeix frases com la de l'exemple (en la persona verbal que s'indica entre parèntesis)

Ex.

—(Jo) agafar un paraigua.
—**Hauria d'haver agafat un paraigua.**

A —(Nosaltres) Encarregar les entrades.
— ....

B —(Vosaltres) Afanyar-se més.
— ....

C —(Ell) Prendre una aspirina.
— ....

D —(Vostè) Abrigar-se més.
— ....

E —(Jo) No beure tant.
— ....

F —(Tu) Posar-se crema.
— ....

G —(Ella) Dur el jersei a la tintoreria.
— ....

H —(Ells) Anar-se'n a dormir més d'hora.
— ....

 6. — DIÀLEG

Un amic teu acaba de pintar el seu pis.

Llegeix aquestes instruccions (**Què cal fer abans de pintar una porta?**) i tot seguit escolta el diàleg. Amb l'ajuda de les instruccions del text, apunta en aquest quadre les coses que havia d'haver fet i no haver fet perquè li quedessin les portes més ben pintades.

Què cal fer abans de pintar una porta?

Abans de començar a pintar les portes, traieu tots els accessoris: manetes, poms, baldons i passadors. Si no es treuen, per més acuradament que treballem, poden embrutar-se. A més, el treball resulta molt més fàcil si no hi ha obstacles. Una falca de paper de diari posada a sota la porta impedeix que es mogui durant el treball. Abans de pintar-les, tant si són de fusta com de metall, no cal sinó rentar-les amb un detergent. Si hi ha alguna irregularitat a la superfície es poden fregar amb paper de vidre fi. Però assegureu-vos, abans de començar a pintar, que la superfície és ben neta i que no hi ha pols. El fregat proporciona una bona base a la pintura. Ja podeu començar a pintar!

HAVIA D'HAVER...	NO HAVIA D'HAVER...

— Busqueu al vocabulari del final de la unitat el significat de: *manetes, poms, baldons, passadors, embrutar-se, falca, paper de vidre, pols.*

ESPECULACIONS SOBRE FETS PASSATS

AHIR

GREU ACCIDENT D'A-VIACIÓ
Ahir un avió de la companyia AXIS en el moment d'enlairar-se no va tenir prou empenta i s'estavellà contra la pista. A hores d'ara no se sap el nombre de víctimes.

EL DIARI

LA BOIRA FOU LA CAUSA DE L'ACCIDENT D'A-VIACIÓ
Ahir la zona de l'aeroport fou envaïda d'una capa espessíssima de boira. Sembla que això fou la causa de l'accident.

AVANTGUARDA

PER QUÈ ES DEIXA SORTIR UN AVIÓ QUAN NO HA PASSAT EL CONTROL REGLAMENTARI?
L'avió DC89 no havia passat el control reglamentari.

Es van escapar d'una i bona!

Dilluns tots ells havien d'agafar l'avió de les 10.30 del matí, però per qüestions personals no el van agafar i es van salvar de l'accident que es va produir just en el moment que l'avió s'enlairava.

Ahir em vaig trobar malament, i senzillament per això no el vaig agafar.
Quan penso que, si m'hagués trobat bé, l'hauria agafat, m'escabello!

Vaig trobar un embús a la carretera i, a més a més, se'm va punxar una roda. Vaig arribar 10 minuts tard a l'aeroport respecte de l'hora prevista i, és clar, l'avió ja havia marxat.

A l'oficina mateix em van dir que, en comptes d'agafar aquest vol, n'agafés un altre més tard.

Sóc molt despistat i aquell dia sort en vaig tenir, perquè quan vaig ser a l'aeroport em vaig adonar que m'havia deixat el bitllet a casa.

A mi sempre m'ha fet por agafar l'avió, i aquell mateix dia una amiga em va dir si hi volia anar amb cotxe. No m'ho vaig pensar dues vegades i li vaig dir que sí. Vaig anar a l'agència i vaig anul·lar el bitllet.

Aquests textos ens expliquen que hi ha hagut un accident d'aviació i donen testimoni de les manifestacions d'algunes persones que, per raons diverses, no van agafar l'avió sinistrat.

—Cada una d'elles podria haver dit una d'aquestes frases:

1) **Si m'hagués** trobat bé, **hauria** agafat aquest avió.
2) **Si no hagués** trobat un embús a la carretera, **hauria** agafat aquest avió.
3) **Sort que** em vaig deixar el bitllet a casa **perquè, si no, hauria** agafat aquest avió.
4) **Si no hagués sigut perquè** aquell mateix dia una amiga em va dir si hi volia anar amb cotxe, **hauria** agafat aquest avió.
5) **Si no arriba a ser perquè** a l'oficina em van dir que agafés un altre vol, **hauria** agafat aquest avió.

—Identifica qui les hauria pogut dir:

Relaciona el número d'ordre de les frases amb la lletra que correspon a cada un dels personatges que, per les raons que acabes de veure, no van agafar l'avió sinistrat.

frase 1: personatge ( )
frase 2: personatge ( )
frase 3: personatge ( )
frase 4: personatge ( )
frase 5: personatge ( )

Per expressar una hipòtesi sobre el passat, podem usar construccions com les següents:

SI (NO)	SUBJ plusq,		+ CONDICIONAL compost
	arribar a ser	per..., perquè...,	
SORT QUE + Verb en passat + perquè, si no,			

El passat plusquamperfet del subjuntiu es forma de la manera següent:

Subjuntiu plusquamperfet

hagués haguessis hagués haguéssim haguéssiu haguessin	+ PART

6⊞ 8. — PRÀCTICA D'ESTRUCTURES

Escolta aquest diàleg.

—**La festa d'ahir va ser molt divertida! Llàstima que no hi fossis.**
▶ **Si m'hagués** trobat bé, **hauria** vingut.

Escolta i repeteix el diàleg anterior.

140

Practica-ho: Fes la intervenció marcada canviant els verbs que hi ha en cursiva pels que et donem a continuació.

```
.....TROBAR-SE bé, ..... VENIR

..... SABER-ho, ........................ no VENIR.
..... DIR-ho, ............................ PORTAR-ne.
..... TELEFONAR, .................. ANAR-hi.
..... PORTAR diners, ................ PAGAR.
```

9. — Mirant els dibuixos i usant els verbs del requadre, intenta construir frases com les de l'exemple (en la persona verbal que s'indica entre parèntesis).

Ex.: **Si no hagués** *plogut tant,* **hauríem** *sortit.*
     Si hagués *pres una aspirina,* **m'hauria** *passat el mal de cap.*

A —(Jo) agafar (un paraigua) / mullar-se
— ....

B —(Ell) travessar / atropellar.
— ....

C —(Tu) fumar (al llit) / provocar (un incendi)
— ....

D —(Ell) estudiar / treure (més bones notes)
— ....

E —(Nosaltres) aparcar (en un lloc prohibit) /
endur-se (el cotxe, la grua)
— ....

F —(Jo) dur (el jersei a la tintoreria) / donar-se
— ....

G —(Vosaltres) enxufar (a 220 v.) / cremar-se
(l'assecador)
— ....

H —(Tu) ficar-hi (la mà) / enganxar(-se-la)
— ....

En les frases anteriors hem dit què **hauria** o **havia d'haver fet** algú per evitar alguna cosa. Expressem, per tant, una hipòtesi sobre el passat. Però per expressar l'obligació de fer alguna cosa si ens haguéssim trobat davant d'unes circumstàncies determinades, podem usar també la construcció següent:

> HAVER HAGUT DE + INF

Per exemple: imagina't que el cotxe se't para al mig d'una carretera i no es vol engegar. Després d'intentar-ho diverses vegades, finalment aconsegueixes posar-lo en marxa. Algú et podria preguntar:

> —**Què hauries fet si no s'hagués engegat?**

A una pregunta així, podries contestar:

> —**Sí, mira, hauria hagut de fer autostop**

Seguint aquest model, respon les preguntes que sentiràs a la cassette.

7 🔟 10. — PRÀCTICA D'ESTRUCTURES

Escolta aquest diàleg

> —**Què hauries fet si no s'hagués engegat el cotxe?**
> ▶ **Hauria hagut de** *fer autostop*.

Escolta i repeteix el diàleg anterior.

Practica-ho

Substitueix | fer autostop | per | anar a dormir en un hotel/deixar el cotxe allà/agafar un cotxe de línia/quedar-se a París

LÈXIC, EXPRESSIONS I FRASES FETES

Verbs

abrigar-se abrigarse
adonar-se darse cuenta
adormir-se dormirse
afanyar-se apresurarse
agafar coger
alleujament alivio
anul·lar anular
anar-se'n a dormir irse a dormir
atropellar atropellar
embrutar-se ensuciarse
encarregar encargar
enlairar-se (un avió) despegar
mullar-se mojarse
posar-se ponerse
punxar-se (una roda) pincharse
(una rueda)

Substantius

baldó *m* pestillo
falca *f* falca
falla *f* falla
maneta *f* manecilla
paper de vidre *m* papel de lija

passador *m* pasador
pols *f* polvo
pom *m* pomo
vol (d'avió) *m* vuelo (de avión)
xoc *m* choque

Expressions i frases fetes

sort que... suerte que..., menos mal que...
si no arriba a ser... si no llega a ser...
mira que n'ets, de gandul! ¡lo perezoso que eres!
es van escapar d'una i bona! ¡se salvaron de una y gorda!

EXERCICIS ESCRITS

A) **Respon les preguntes següents, lamentant o retraient a algú alguna cosa i fent servir els verbs que hi ha entre parèntesis en la persona que s'indica.**

Ex.: Som molta colla i a la millor ens faltarà vi.
N'hauríem d'haver comprat més .... (comprar-ne més/nosaltres)

1. — Ens hem equivocat i, en comptes d'anar cap avall, hem girat cap amunt.
.... (anar cap avall/vosaltres)

2. — En Carles ha tingut un accident de cotxe i s'ha trencat una cama. Es veu que anava molt de pressa.
.... (no córrer tant/ell)

3. — Ahir vaig beure molt xampany i avui tinc molt mal de cap.
.... (no beure tant/tu)

4. — Tinc un fred!
.... (agafar un jersei/tu)

5. — He dit als meus pares que m'he barallat amb l'Enric.
.... (no dir-los-ho/tu)

6. — Ahir va ser l'aniversari de l'Assumpta i no vaig pensar a felicitar-la.
.... (felicitar-la/tu)

B) **Respon les preguntes següents, fent hipòtesis del que hauria pogut passar o no passar a partir dels verbs que hi ha entre parèntesis.**

Ex.: La Maria ha suspès l'examen de matemàtiques.
Si hagués estudiat més, hauria aprovat .... (estudiar més/aprovar)

1. — En Carles no ha presentat la sol·licitud de feina.
.... (presentar-la/admetre'l)

2. — Ahir em vaig quedar a casa i em vaig avorrir molt.
.... (venir amb nosaltres/divertir-se)

3. — He rentat aquest jersei a la rentadora i se m'ha encongit.
.... (rentar-lo a mà/no encongir-se)

4. — M'han posat una multa!
.... (no aparcar en un lloc prohibit/no posar-te-la)

5. — A la Núria, no li he regalat res, perquè no sabia què regalar-li.
.... (regalar-li un ram de roses/estar contenta)

6. — Se'ns ha trencat el gerro.
.... (no tocar-lo/no trencar-lo)

SOLUCIÓ DELS EXERCICIS I TRANSCRIPCIÓ DELS DIÀLEGS

1. — DIÀLEG

Transcripció

SRA. MERCÈ: Neus, tingui la bossa. Compte, que hi ha ampolles!

NEUS: Hauríeu d'haver organitzat això d'una altra manera. Per exemple, hauríem pogut anar a dinar al restaurant i no hauríem d'haver anat carregats amb tantes punyetes.

MERCÈ: L'he preparat jo, el dinar. El menjar que jo he preparat, no el trobarà a cap restaurant, filleta.

MIQUEL: El que jo dic és que no havíem d'haver sortit, avui, amb el dia que fa.

ALFONSO: Però si fa molt bon dia! Miquel, mira que n'ets, de rondinaire!

MIQUEL: I mira que en sou, de desgraciats! Almenys hauries d'haver callat i no haver dit a la senyora Mercè que anàvem d'excursió.
Amb ella sí que tindrem un bon dia!

ALFONSO: A tu el que et passa és que volies que vingués la Carme; i com que no ha pogut venir, només hi veus problemes.

MERCÈ: Què diu, en Miquel? No li hauríem d'haver dit on anàvem. Hauria estat una sorpresa... Li agradarà tant, Montserrat! En tot el món no hi cap muntanya com la muntanya de Montserrat. Jo hi pujo sempre que puc. No és bon català qui no hi puja sempre que pot.
Ah, la Moreneta...! Sap qui és, la Moreneta?

MIQUEL: No senyor, no hauríem d'haver sortit de casa.

MERCÈ: La Moreneta és la Mare de Déu! La Moreneta és... "És la Moreneta la fe del poble català...!"

NEUS: I el virolai! Coneixes el virolai, Miquel? "Rosa d'abril, morena de la serra..."

Solució

Neus: Hauríem d'haver anat a dinar en un restaurant.
Sra. Mercè: No havíem d'haver dit a en Miquel on anàvem.
Miquel: No havíem d'haver sortit.
Miquel: No hauries d'haver dit a la senyora Mercè que anàvem d'excursió.

5. — Solució

A — Hauríem d'haver encarregat les entrades.
B — Us hauríeu d'haver afanyat més.
C — Hauria d'haver pres una aspirina.
D — S'hauria d'haver abrigat més.
E — No hauria d'haver begut tant.
F — T'hauries d'haver posat crema.
G — Hauria d'haver dut el jersei a la tintoreria.
H — Se n'haurien d'haver anat a dormir més d'hora.

6. — DIÀLEG

Transcripció

NOIA: —T'ha quedat un pis molt maco.

NOI: —Sí, m'ha quedat més bé del que em pensava, però del que no estic gaire content és de les portes; no m'han quedat gens bé.

NOIA: —És que pintar portes és molt entretingut i vol molta paciència.

NOI: —I tant! Però, veus, els poms m'han quedat pintats, i com que mentre pintava la porta no em quedava quieta, l'havia de tenir agafada amb la mà i, mira, m'han quedat les marques dels dits. A més a més, les vaig rentar amb aigua i, un cop eixutes, les vaig fregar amb un paper de vidre gruixut i em sembla que per això m'hi han quedat senyals; vaja, que no les veig llises. El que m'han dit, també, és que, un cop fregades havia de treure la pols que hi queda després d'haver-hi passat el paper de vidre...; però, noia, tampoc no ho vaig fer, i el cas és que no m'han quedat prou bé. En fi, una altra vegada ho faré millor.

Solució

HAVIA D'HAVER...	NO HAVIA D'HAVER...
• tret els poms, • posat una falca, • tret la pols, • fregat la porta amb un paper de vidre fi	• fregat les portes amb un paper de vidre gruixut,

7. — Solució

Frase 1: personatge (a)
Frase 2: personatge (b)
Frase 3: personatge (d)
Frase 4: personatge (e)
Frase 5: personatge (c)

9. — Solució

A — Si hagués agafat un paraigua, no m'hauria mullat.

B — Si no hagués travessat, no l'haurien atropellat.

C — Si no haguessis fumat al llit, no hauries provocat un incendi.

D — Si hagués estudiat, hauria tret més bones notes.

E — Si no haguéssim aparcat en un lloc prohibit, la grua no s'hauria endut el cotxe.

F — Si hagués dut el jersei a la tintoreria, no se li hauria donat.

G — Si no l'haguéssim enxufat a 220 V., no s'hauria cremat.

H — Si no hi haguessis ficat la mà, no te l'hauries enganxada.

SOLUCIÓ DELS EXERCICIS ESCRITS

A) **Respon les preguntes següents, lamentant o retraient a algú alguna cosa i fent servir els verbs que hi ha entre parèntesis en la persona que s'indica.**

Ex.: *Som molta colla i a la millor ens faltarà vi.*
N'hauríem d'haver comprat més (o **N'havíem d'haver comprat més**)

1. — Ens hem equivocat i, en comptes d'anar cap avall, hem girat cap amunt.
  Hauríeu d'haver anat cap avall (o *Havíeu d'haver...*)

2. — En Carles ha tingut un accident de cotxe i s'ha trencat una cama. Es veu que anava molt de pressa.
  No havia d'haver corregut tant (o *No hauria d'haver...*)

3. — Ahir vaig beure molt xampany i avui tinc molt mal de cap.
  No hauries d'haver begut tant (o *No havies d'haver...*)

4. — Tinc un fred!
  Hauries d'haver agafat un jersei (o *Havies d'haver*)

5. — He dit als meus pares que m'he barallat amb l'Enric.
  No els ho havies d'haver dit (o *No els ho hauries d'haver dit*)

6. — Ahir va ser l'aniversari de l'Assumpta i no vaig pensar a felicitar-la.
  L'hauries d'haver felicitat (o *L'havies d'haver...*, o *Hauries d'haver-la...*, o *Havies d'haver-la...*)

B) **Respon les preguntes següents, fent hipòtesis del que hauria pogut passar o no passar a partir dels verbs que hi ha entre parèntesis.**

Ex.: *La Maria ha suspès l'examen de matemàtiques.*
Si hagués estudiat més, hauria aprovat.

1. — En Carles no ha presentat la sol·licitud de feina.
  Si l'hagués presentada, l'haurien admès.

2. — Ahir em vaig quedar a casa i em vaig avorrir molt.
  Si haguessis vingut amb nosaltres, t'hauries divertit.

3. — He rentat aquest jersei a la rentadora i se m'ha encongit.
  Si l'haguessis rentat a mà, no se t'hauria encongit.

4. — M'han posat una multa!
  Si no haguessis aparcat en un lloc prohibit, no te l'haurien posada.

5. — A la Núria, no li he regalat res, perquè no sabia què regalar-li.
  Si li haguessis regalat un ram de roses, hauria estat molt contenta.

6. — Se'ns ha trencat el gerro.
  Si no l'haguéssiu tocat, no l'hauríeu trencat.

DISCUSSIONS
Reunions, debats, assemblees

Objectius comunicatius

L'objectiu d'aquesta unitat didàctica és aprendre a:

— Expressar una opinió dins una discussió formal (saber demanar i donar la paraula; precisar una explicació; posar exemples; demanar si us han entès; enumerar dins d'una explicació i referir-se una afirmació anterior).
— Saber fer un resum a una altra persona sobre el que s'ha dit i tractat en alguna discussió formal (en un debat, en una reunió, en un article de premsa ...)

NOTA: El material didàctic d'aquesta unitat (diàlegs orals i textos escrits) estan pensats bàsicament perquè serveixin per incitar a fer debats i discussions reals entre alumnes, sobre els temes proposats o d'altres de similars. L'activitat oral lliure que es pugui fer en grups, sota la supervisió d'un professor, és, doncs, fonamental per assolir els objectius d'aprenentatge que acabem de descriure. Òbviament, en un règim d'autoaprenentatge aquestes activitats són del tot impossibles. Pensem, però, que el material auditiu i escrit pot ser útil, almenys, com a exemplificació d'algunes de les formes lingüístiques que se solen usar en discussions formals, en reunions, en debats o en assemblees. Creiem que, a partir d'aquest coneixement "passiu", l'autoaprenent sabrà usar-les activament quan en tingui ocasió.

EN UNA REUNIÓ

1. — DIÀLEG

La Sra. Mercè, propietària de l'immoble on viuen en Miquel, l'Alfonso i en Toni, creu que cal pintar l'escala de l'edifici i convoca una reunió de veïns per tractar del tema.

Escolta un fragment de la discussió que té lloc en aquesta reunió i marca amb una creu la resposta o respostes correctes (una o dues) a les preguntes següents d'acord amb el que sentis.

1) Hi són tots, els llogaters?

   a) hi falta la senyora de l'àtic.
   b) hi falta la senyora de l'entresol.
   c) hi falta una senyora, que està malalta.

2) Perquè hi hagi ordre un veí s'ofereix a:

   a) fer de moderador.
   b) pagar la pintura de l'escala.
   c) fer l'acta de la reunió.

3) La mestressa, la Sra. Mercè, demana la paraula i diu que:

   a) l'escala continuarà bruta si no paguen entre tots.
   b) ha decidit pintar l'escala.
   c) no pensa pagar només de la seva butxaca.

4) Una veïna, la Sra. Tecla, opina que:

   a) haurien de pagar-ho entre tots, a parts iguals.
   b) la mestressa hauria de pagar ella sola.
   c) la mestressa hauria de pagar-ne la meitat, i l'altra meitat, els veïns.

En la discussió que acabes de sentir, els veïns intenten organitzar les seves intervencions. Quan es parla en una reunió, o quan es parla en públic en general, sovint es fa necessari usar unes fórmules per regular l'ordre de les intervencions. Algunes d'aquestes fórmules, probablement les més freqüents, són les següents:

PER DEMANAR PER PARLAR

Puc dir una cosa abans de començar?
Demano la paraula.
Puc contestar?

PER DONAR LA PARAULA
I DEIXAR PARLAR ALGÚ

Té la paraula el senyor/la senyora...
Pot parlar, senyor/senyora...
Digui, digui...
/...

---

 2. — Escolta de nou el diàleg i fixa't en quin moment apareixen cada una d'aquestes frases.

En una discussió o en un debat en què participen diverses persones, tenim menys oportunitats d'intervenir-hi que en un diàleg simple entre dues persones. Per això mateix, convé que exposem amb el màxim de claredat i d'ordre allò que hem de dir de manera que tothom ho entengui perfectament, sense necessitat de repetir-ho o matisar-ho gaire. Això fa que s'usin amb freqüència expressions com

---

EN COMENÇAR A PARLAR

Només volia dir...
M'explicaré...

PER REFERIR-SE A UNA
AFIRMACIÓ ANTERIOR

Pel que fa a...
Respecte a...
Quant a...

PER PRECISAR UNA EXPLICACIÓ

Dit d'una altra manera...
Dit en altres paraules...
M'explicaré...
És a dir...

PER POSAR EXEMPLES

Posem per cas...
Per exemple...

PER DEMANAR SI S'HA ENTÈS
ALLÒ QUE ACABEU DE DIR

M'explico?
No sé si m'entenen...
No sé si m'explico...
No sé si m'han entès...
No sé si m'he explicat...

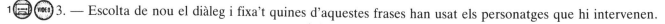 3. — Escolta de nou el diàleg i fixa't quines d'aquestes frases han usat els personatges que hi intervenen.

EN UN DEBAT

S'entén per debat un diàleg entre dues o més persones en el qual es vol discutir a fons i àmpliament una qüestió determinada. Perquè un debat sigui fructífer, interessa contrastar opinions diverses i fins i tot oposades. Els mitjans de comunicació, sobretot de ràdio i la televisió, ens han acostumat a aquest tipus d'intercanvi d'opinions i ens hem familiaritzat amb les fórmules que solen usar els interlocutors per exposar els seus punts de vista. Podem trobar alguna d'aquestes fórmules en el fragment de conversa següent:

 4. — DIÀLEG

Tres persones en un debat sobre "la publicitat"

Escolta aquest fragment de debat i fixa't bé en les paraules que en el llibre estan escrites en negreta.

1) Estic a favor de la publicitat. **Primer**, sense publicitat es vendria menys. **Segon**, si es venia menys, hi hauria més atur. **I per acabar**, crec que la gent estaria menys informada.

2) Jo no hi estic d'acord. **Pel que fa** a la desinformació, crec que la publicitat precisament hi contribueix, i molt.

3) Oh, i tant que hi contribueix! Els anuncis de colònia, **posem per cas**, creuen que donen algun tipus d'informació necessària per a algú?

4) Perdonin, però **no sé si m'han entès. Només vull afegir una cosa** i acabo: per mi informació no vol dir instruccions per fer una cosa, vol dir coneixe'n l'existència i prou.

Fixa't que el personatge **A** per ordenar la seva explicació enumera els arguments:

> **Primer...**
> **Segon...**
> **I per acabar...**

Per enumerar una sèrie d'arguments dins una explicació es poden usar les fórmules següents:

> **Per començar...**
> **Primer... / Segon... / Després...**
> **A més (a més)...**
> **Per acabar... / Finalment...**

Fixa't que en el fragment del debat, els interlocutors també han usat fórmules que ja havíem vist abans, en parlar de les reunions:

Pel que fa a...
No sé si m'han entès.
Només vull afegir una cosa...
Posem per cas...

3 🎬 5. — DIÀLEG

Escolta aquest fragment d'un debat radiofònic sobre els combats de boxa i omple els espais buits amb les paraules que sentis. (Busca el significat de les paraules del requadre al final de la unitat.)

aclarir	esport
afegir	pertot
arreu	programació
boxa	promoció
cadascú	responsable
censurar	retransmetre
combat	violència
d'amagat	
desaparèixer	
desobeir	

— ...., segons el senyor Clotes, la boxa és un esport que hauria de desaparèixer, ..., segons el senyor Millat, s'hauria de promocionar...

— .... vull aclarir que jo no he dit que la boxa s'hagi de prohibir. ...., perquè crec que cadascú pot fer el que pugui i perquè, ..., estic segur que les prohibicions són la millor manera d'incitar la gent de desobeir-les. No sé si m'explico. .... podria passar com amb la llei seca: es prohibeix l'alcohol i la gent beu d'amagat i paga més per un alcohol més dolent. No. Jo .... és que no s'haurien de retransmetre els combats per televisió. .... perquè veure com dues persones es fan mal no crec que sigui un espectacle gaire gratificador. ...., perquè no crec que la boxa necessiti aquesta mena de promoció. I, ..., perquè ho poden veure molts menors i .... això els pot perjudicar en ...

— ...., com que els adults no som prou responsables per controlar l'educació dels nostres fills, hem de privar els aficionats de la retransmissió d'un esport...

— Perdoni, senyor Millat, però .... el senyor Clotes no havia acabat. Senyor Clotes...

— No, ja acabo. .... el problema principal que jo hi veig és aquesta manera indirecta de fomentar la violència. I això no afecta només la boxa. Fixem-nos, ..., en les pel·lícules pretesament dirigides a un públic infantil: ¿quanta violència no hi trobem ben manifesta? I això no pot ser bo de cap de les maneres...

— Sí, però això ja ens duria a un altre debat. .... només en el tema de la boxa. Senyor Millat, ...

— Bé, ... retransmetre o no retransmetre els combats, penso que el problema, ..., és un altre. .... La violència la podem trobar pertot arreu. No solament als combats de boxa. El senyor Clotes ja ha parlat del cine però, ... en altres esports que ningú no gosaria eliminar de la programació de la televisió: el futbol, el bàsquet, l'hoquei, ... I és que la violència es pot dir que forma part de la nostra experiència i...

EXERCICIS D'ENTONACIÓ I PUNTUACIÓ

6. — Escolta i repeteix les frases següents fixant-te molt en l'entonació i la puntuació de cada una.

1. — a) La boxa és un esport massa violent.
   b) La boxa, és un esport massa violent?
   c) La boxa és un esport massa violent...?

2. — a) Sí, votem.
   b) Si votem...
   c) Sí, votem?

3. — a) No ha demanat la paraula?
   b) No ha demanat la paraula.
   c) No, ha demanat la paraula.

4. — a) Que han decidit no pagar?
   b) Què han decidit, no pagar?
   c) Què han decidit? No pagar.

5. — a) S'han posat d'acord!
   b) S'han posat d'acord.
   c) S'han posat d'acord?

7. — Escolta i marca amb una creu la frase que ha estat pronunciada.

1. — a) L'exploració espacial, suposa uns costos massa elevats?
   b) L'exploració espacial suposa uns costos massa elevats.
   c) L'exploració espacial suposa uns costos massa elevats...

2. — a) No, vol pagar la mestressa.
   b) No vol pagar, la mestressa.
   c) No vol pagar la mestressa?

3. — a) Què diu? Que la boxa és emocionant.
   b) Què diu? que la boxa és emocionant?
   c) Que diu que la boxa és emocionant.

4. — a) Sí, puc parlar?
   b) Sí, puc parlar!
   c) Si puc parlar...

5. — a) No hi està d'acord?
   b) No hi està d'acord.
   c) No, hi està d'acord.

8. — Escolta i marca amb una creu la resposta a o b segons el que et sembli que s'expressa amb aquestes frases.

1) Hem guanyat les eleccions!
   a) Expressa estranyesa
   b) Mostra alegria.

2) La publicitat informa...?
   a) Expressa estranyesa.
   b) Fa una pregunta.

3) No, defensa el consumidor.
   a) Nega que defensi el consumidor.
   b) Afirma que defensa el consumidor.

4) Informa la publicitat?
   a) Fa una pregunta.
   b) Expressa escepticisme.

5) No defensa el consumidor.
   a) Nega que defensi el consumidor.
   b) Mostra estranyesa.

9. — Llegeix aquest text i marca amb una creu si són certes o falses les afirmacions que hi ha a sota.

Abans que l'aprovi el Congrés de diputats

El projecte de llei del consum ja és combatut pels consumidors

Les associacions catalanes i basques són les més crítiques

Les associacions de consumidors i usuaris de l'Estat han començat a criticar el projecte de llei del consum molt abans que aquesta es vegi al Congrés de diputats

Barcelona. — La llei general per a la defensa dels consumidors i usuaris podria ser aprovada abans que el Congrés de diputats iniciés el seu període de vacances d'enguany. Però aquesta llei, abans de ser debatuda al Parlament, ja és combatuda per les més influents organitzacions de consumidors de l'Estat.

Segons una enquesta que publica la revista «Mercaconsumo», a la Federació de Consumidors d'Euskadi, a l'OCU (Organització de Consumidors i Usuaris) de Madrid i a l'OCUC (Organització de Consumidors i Usuaris de Catalunya) de Barcelona no els plau la llei i li troben mancances. Només l'Associació de Consumidors de Cantàbria «hi està d'acord, en principi, perquè és el primer pas que es fa en aquest sentit».

Els consumidors del País Basc creuen que la llei és insuficient «perquè considera la defensa del consumidor com una activitat purament sanitària». Pels bascos, el projecte de llei no té en compte aspectes importants del consum, com els serveis post venda, la defensa dels interessos econòmics del consumidor o la seva educació.

«La necessitat de defensar el consumidor —diu la Federació d'Euskadi— sorgeix a conseqüència de les desigualtats que es produeixen en el mercat: el consumidor es troba impotent davant la publicitat agressiva i la gran varietat de productes existents per a satisfer una determinada necessitat». Aquests arguments són, entre d'altres, els inspiradors de la llei sobre l'estatut del consumidor del País Basc.

Aquesta llei no és positiva

L'Organització de Consumidors i Usuaris de Catalunya creu que una llei específica no seria necessària si la legislació vigent s'apliqués amb rigor.

«Nosaltres no podem fer una valoració positiva d'aquesta llei», diu el portaveu de l'OCUC. I fa ressaltar que l'única cosa que els agrada és que permet al consumidor acudir als tribunals quan consideri que han estat lesionats els seus drets. I també els plau que el projecte reconegui l'existència i la capacitat de les associacions de consumidors.

«Des del punt de vista jurídic té alguns errors i buits importants. I sembla que estigui feta pensant únicament pal·liar les conseqüències de l'enverinament per l'oli adulterat.»

L'OCUC de Madrid ha fet un informe en el qual s'esmenten els articles que haurien de ser esmenats o ampliats. La crítica que de la llei fa aquesta organització és més tècnica que política.

A l'Associació de Consumidors de Cantàbria també li sembla que en la redacció d'aquest projecte de llei ha influït «la síndrome tòxica». Aquesta associació opina que hom posa tot l'èmfasi en la qüestió alimentària i n'oblida d'altres com els serveis post venda dels electrodomèstics, les vendes de vídeo o les possibles reclamacions davant del rebut del telèfon o d'una pòlissa d'assegurances.

El ministre defensa la llei

Ernest Lluch, el ministre de Sanitat i Consum, creu que la llei és important i que tanca una etapa i n'obre una de nova. «Té com objecte centrar els drets dels consumidors i dels usuaris. El dret a tenir una bona informació, que la publicitat no sigui abusiva, sinó objectiva, el dret a poder cobrar danys i perjudicis en el cas que un producte no estigui en bones condicions. Aquests són els drets fonamentals que quedaran defensats en la llei. Hi ha la voluntat que sigui una llei de tots els espanyols i per això hem acceptat esmenes d'altres grups polítics, malgrat tenir la majoria absoluta en el Congrés».

Lluch opina que amb aquesta llei aprovada i en vigor és molt més difícil que esdevinguin fets com la síndrome tòxica. «Impossible no ho sé, perquè mai no es pot assegurar. Però sí que seria molt més difícil que passés».

	V	F
Ex.: *Totes les organitzacions de consumidors estan en contra del projecte de llei del consum.*		X
a) La llei del consum ha estat ben rebuda, sobretot a Catalunya i al País Basc.		
b) La Federació d'Euskadi creu que el consumidor està indefens davant l'agressivitat de la publicitat.		
c) L'OCU de Catalunya considera insuficient la llei.		
d) L'OCU de Madrid ha presentat esmenes de caràcter tècnic a la llei.		
e) L'Associació de Consumidors de Cantàbria opina que la llei només s'hauria de centrar en el control d'aliments.		
f) El ministre de Sanitat no ha volgut acceptar cap esmena de l'oposició.		
g) El ministre de Sanitat diu que amb la llei serà impossible que es repeteixin fets com els de l'oli de colza.		

LÈXIC, EXPRESSIONS I FRASES FETES

Verbs

aclarir *aclarar*
aconseguir *conseguir*
acordar *acordar*
afegir *añadir*
aprovar *aprobar*
augmentar *aumentar*
boxejar *boxear*
censurar *censurar*
contribuir *contribuir*
costejar *costear*
desaparèixer *desaparecer*
desaprovar *desaprobar*
desobeir *desobedecer*
informar *informar*
proporcionar *proporcionar*
proposar *proponer*
retransmetre *retransmitir*
votar *votar*

Adjectius

consumidor/-a *consumidor*
elevat/-ada *elevado*
immediat/-ata *immediato*
llogater/-era *inquilino*
moderador/-ora *moderador*
violent/-a *violento*

Adverbis i locucions adverbials

d'amagat *a escondidas*
arreu *a/en/por todas partes*
pertot (arreu)*a/en/por todas partes*

Pronoms

cadascú/-una *cada uno, cada cual*

Substantius

acord *m acuerdo*
acta *f acta*
avenç *m avance, adelanto*
boxa *f boxeo*
boxejador *m boxeador*
combat *m combate*
cost *m coste*
consum *m consumo*
desinformació *f desinformación*
espai *m espacio*
exploració espacial *f exploración espacial*
font d'energia *f fuente de energía*
informació *f información*
informe *m informe*
llei *f ley*
meitat *f mitad*
mestressa *f dueña*
metall *m metal*
necessitat *f necesidad*
planeta *m planeta*
programació *f programación*
promoció *f promoción*
proposta *f propuesta*
publicitat *f publicidad*
violència *f violencia*
vot *m voto*
votació *f votación*

SOLUCIÓ DELS EXERCICIS I TRANSCRIPCIÓ DELS DIÀLEGS

1. — DIÀLEG

Transcripció

SRA. MERCÈ:	Què els sembla si comencem? Seguin, sisplau, seguin.
ALFONSO:	Hi som tots?
VEÍ DEL 1r:	Falta la senyora Gracieta de l'entresol.
TECLA:	Està malalta.
VEÍ DEL 1r:	Puc dir una cosa abans de començar?
SRA. MERCÈ:	Digui, digui.
VEÍ DEL 1r:	Si en aquesta reunió no hi ha ordre, no ens entendrem. Si volen, faré de moderador.
SRA. MERCÈ:	Doncs demano la paraula i començo jo, que sóc la propietària.
VEÍ DEL 1r:	Té la paraula la senyora Mercè.
SRA. MERCÈ:	Només volia dir una cosa. L'escala està bruta i s'ha de pintar, això ja ho sé, però no penso pagar el pintor només de la meva butxaca. Dit en altres paraules, o paguem entre tots o l'escala continuarà tan bruta com fins ara. No sé si m'entenen.
TONI:	Molt bé, sí senyora.
TECLA:	Però no cal parlar en aquest to.
VEÍ DEL 1r:	No diguin res si no demanen la paraula.
TECLA:	Puc contestar o no puc contestar?
VEÍ DEL 1r:	Demana la paraula?
TECLA:	Que no ho veu?
BARTOMEU:	Jo també la demano!
GONÇAL:	Vostè no ha de demanar res, pare. Vostè té la pressió alta.
BARTOMEU:	Demano la paraula!
VEÍ DEL 1r:	Primer la senyora Tecla.
TECLA:	Respecte a això de pagar entre tots, jo trobo que la mestressa hauria de pagar ella sola, que per això la casa és seva.
SRA. MERCÈ:	Ah, no!
VEÍ DEL 1r:	Silenci!
TECLA:	I si no ho paga tot, que en pagui, posem per cas, la meitat. I l'altra meitat entre els llogaters.
SRA. MERCÈ:	De cap manera!
VEÍ DEL 1r:	Ordre, ordre!
BARTOMEU:	Jo tinc la paraula!
VEÍ DEL 1r:	Pot parlar, senyor Bartomeu.
BARTOMEU:	M'explicaré. Quan feia la guerra a Jaca lluitant per la República...

Solució

1) b i c
2) a
3) a i c
4) b i c

5. — DIÀLEG

Transcripció i solució

PRESENTADORA: *És a dir que*, segons el senyor Clotes la boxa és un esport que hauria de desaparèixer, *i en canvi*, segons el senyor Millat, s'hauria de promocionar...

SR. CLOTES: *Per començar* vull aclarir que jo no he dit que la boxa s'hagi de prohibir. *Entre altres coses*, perquè crec que cadascú pot fer el que vulgui i perquè, a més, estic segur que les prohibicions són la millor manera d'incitar la gent a desobeir-les. No sé si m'explico. *Vull dir que* podria passar com amb la llei seca: es prohibeix l'alcohol i la gent beu d'amagat i paga més per un alcohol més dolent. No. Jo *l'única cosa que deia* és que no s'haurien de retransmetre els combats per televisió. *En primer lloc*, perquè veure com dues persones es fan mal no crec que sigui un espectacle gaire gratificador. *En segon lloc*, perquè no crec que la boxa necessiti aquesta mena de promoció. I, *per acabar*, perquè ho poden veure molts menors i *considero que* això els pot perjudicar en...

SR. MILLAT: *O sigui que*, com que els adults no som prou responsables per controlar l'educació dels nostres fills, hem de privar els aficionats de la retransmissió d'un esport...

PRESENTADORA: Perdoni, senyor Millat, però *em sembla que* el senyor Clotes no havia acabat. Senyor Clotes...

SR. CLOTES: No, ja acabo. *Només volia afegir que* el problema principal que jo hi veig és aquesta manera indirecta de fomentar la violència. I això no afecta només la boxa. Fixem-nos, *posem per cas*, en les pel·lícules pretesament dirigides a un públic infantil: ¿quanta violència no hi trobem ben manifesta? I això no pot ser bo de cap de les maneres...

PRESENTADORA: Sí, però això ja ens duria a un altre debat. *Centrem-nos* només en el tema de la boxa. Senyor Millat, *vostè té la paraula*...

SR. MILLAT: Bé, *quant a* retransmetre o no retransmetre els combats, penso que el problema, *en tot cas*, és un altre. *Vull dir que* la violència la podem trobar pertot arreu. No solament als combats de boxa. El senyor Clotes ja ha parlat del cine, però, *fixem-nos* en altres esports que ningú no gosaria eliminar de la programació de la TV: el futbol, el bàsquet, l'hoquei, *només per posar uns quants exemples*. I és que la violència es pot dir que forma part de la nostra experiència i...

7. — Solució   8. — Solució

1) a	1) b
2) b	2) a
3) a	3) b
4) c	4) a
5) b	5) a

9. — Solució

	V	F
a) La llei del consum ha estat ben rebuda, sobretot a Catalunya i al País Basc.	☐	☒
b) La Federació d'Euskadi creu que el consumidor està indefens davant l'agressivitat de la publicitat.	☒	☐
c) L'OCU de Catalunya considera insuficient la llei.	☒	☐
d) L'OCU de Madrid ha presentat esmenes de caràcter tècnic a la llei.	☒	☐
e) L'Associació de Consumidors de Cantàbria opina que la llei només s'hauria de centrar en el control d'aliments.	☐	☒
f) El ministre de Sanitat no ha volgut acceptar cap esmena de l'oposició.	☐	☒
g) El ministre de Sanitat diu que amb la llei serà impossible que es repeteixin fets com el de l'oli de colza.	☐	☒

INSTRUCCIONS
Instruccions, argumentacions i objeccions

Objectius comunicatius

— Donar instruccions sobre el maneig d'un aparell o sobre el seu funcionament.
— Donar les instruccions necessàries per realitzar una operació.
— Argumentar a favor o en contra d'un projecte.
— Posar objeccions a un projecte.

INSTRUCCIONS

En la vostra vida quotidiana cada vegada es fa més necessària la utilització de màquines de tota mena: a casa, els electrodomèstics; en una oficina, màquines d'escriure electròniques, ordinadors, calculadores; als bancs o a les caixes, caixers automàtics. Moltes de les nostres necessitats diàries de consum ens les poden satisfer les màquines: donar-nos un tiquet de metro, servir-nos tabac o un refresc, proporcionar-nos diners d'una caixa,… Sense adonar-nos-en, ens hem familiaritzat amb un llenguatge nou que usem sense articular gairebé cap paraula, però que ens obliga a dominar un codi nou: el de les instruccions per manejar una màquina o un aparell. A mida que la tecnologia avanci, ens haurem d'acostumar, no solament a entendre aquestes instruccions, sinó també a fer-nos entendre nosaltres mateixos quan hàgim de donar ordres a una màquina. Aquesta unitat didàctica tracta precisament d'això: d'entendre i donar instruccions. Per veure-ho amb un exemple…

1. — Llegeix aquest text.

DIAGRAMA A

Instruccions per programar un ordinador

Imaginem que volem que un robot ens prepari l'esmorzar cada dia. Caldrà programar adequadament el seu "cervell", o sigui, l'ordinador que el controla.
En primer lloc cal que planifiquem el que suposa preparar un esmorzar. Aquest pla pot representar-se en un diagrama (A) que mostri esquemàticament els passos que ha de fer el programa.
Primer cal aconseguir que el robot s'engegui a les 8: COMENÇAR. Després ha de fer un suc de taronja i afegir-hi sucre. Tot seguit cal que prepari un entrepà de pa amb tomàquet i pernil i que el serveixi en un plat. Després ha de preparar un bon cafè amb llet i servir-lo. Finalment ha de tornar al començament i ha de quedar a punt per començar l'endemà una altra vegada.

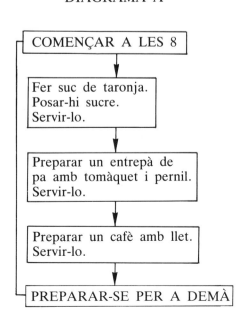

COMENÇAR A LES 8

Fer suc de taronja.
Posar-hi sucre.
Servir-lo.

Preparar un entrepà de
pa amb tomàquet i pernil.
Servir-lo.

Preparar un cafè amb llet.
Servir-lo.

PREPARAR-SE PER A DEMÀ

unitat 44

Millora del programa

Això sembla bastant senzill, però és segur? De fet, tot just començar ens hem trobat inundats fins al coll de suc de taronja i coberts de sucre: ens vam oblidar de dir quant en volíem. El robot no té idea del que és una ració raonable. Cal afegir-hi unes mesures i tornar-ho a intentar. Aquesta vegada, tot just comencem a beure taronjada, el robot intenta prendre'ns el got i servir-nos l'entrepà. Cal introduir-hi una pregunta: "És buit el got?" (També caldrà introduir-hi una pregunta semblant abans de retirar el plat i abans de retirar la tassa.) Sembla que ara tot anirà bé. Però estem segurs que voldrem esmorzar tant cada dia? Un cop hagi començat, el robot continuarà per sempre més i, si no ens els mengem, els entrepans s'aniran apilant dia rere dia. Seria millor concedir-nos la possibilitat de no esmorzar, si no volem. Per això caldrà introduir-hi unes altres preguntes: "Vols esmorzar?", "Vols suc de taronja" "Vols l'entrepà?", "Vols cafè amb llet?" És clar que això només és el començament. També caldrà detallar-li com ha de parar la taula, com ha de sucar el pa amb tomàquet o com ha de fregar els plats. Ah!, si no volem quedar-nos un dia sense suc de taronja, caldrà programar-lo perquè ens avisi quan quedin poques taronges.

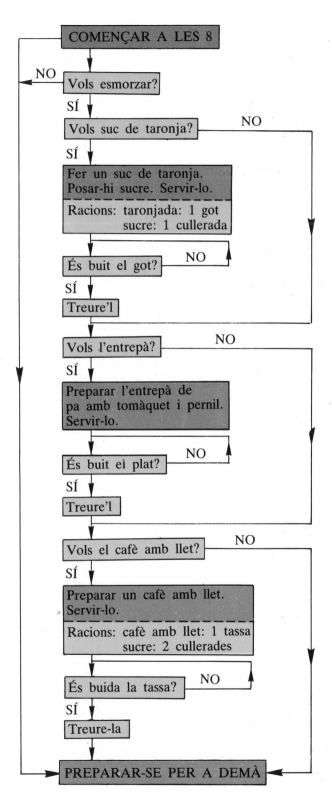

157

Fixa't en aquestes frases extretes del text.

— *En primer lloc* **cal que planifiquem** *el que suposa preparar un esmorzar.*
— *Primer* **cal aconseguir** *que el robot s'engegui a les 8.*
— *Després* **ha de fer** *un suc de taronja.*
— **Cal afegir-hi** *unes mesures i tornar-ho a intentar.*
— *També* **caldrà introduir-hi** *una pregunta semblant abans de retirar el plat.*
— **Ens haurà d'avisar** *quan quedin poques taronges.*

En totes elles hi ha un grup verbal que indica l'obligació o la necessitat de fer alguna cosa: en alguns casos hi trobem la forma **HAVER DE** i en d'altres el verb **CALDRE**.

2. — Torna a llegir el text i subratlla totes les formes d'obligació que hi trobis.

Si, en donar unes instruccions, volem advertir de la necessitat, de la importància o de l'obligació de fer una cosa, ho podem fer en forma impersonal (sense especificar a qui ens adrecem) o en forma personal (especificant a qui ens adrecem).

En el primer cas, podem usar les instruccions següents:

present	CAL S'HA DE		**Cal afegir-hi** *unes mesures.*
futur	CALDRÀ S'HAURÀ DE	+ INF	**Caldrà introduir** *més preguntes al programa.*
condicional	CALDRIA S'HAURIA DE		**S'hi hauria d'introduir** *una pregunta semblant.**

Però si volem adreçar-nos a algú en concret (a tu, a vostè, etc.) aquestes construccions variaran.

CAL CALDRÀ	QUE	(TU) (VOSALTRES) (VOSTÈ) (VOSTÈS)	+	V (SUBJ pres)	**Cal que (tu) hi afegeixis** *unes mesures.* **Caldrà que (vostè) hi afegeixi** *unes mesures.*
CALDRIA				V (SUBJ imp)	**Caldria que (vosaltres) hi afegíssiu** *unes mesures.*
(TU) (VOSALTRES) (VOSTÈ) (VOSTÈS)		*HAVER* DE + INF			(Tu) **Has d'afegir-hi** *unes mesures.* (Vosaltres) **Haureu d'afegir-hi** *unes mesures.* (Vostès) **Haurien d'afegir-hi** *unes mesures.*

* En aquestes construccions impersonals amb **haver-se de**, la partícula **se/es** actua com a subjecte indeterminat (= **algú, hom**). Per això el verb pot no concordar amb l'element nominal que ocupa el lloc del complement directe (i així podem trobar: *S'hi* **hauria** *d'introduir* **una pregunta semblant** / *s'hi* **hauria** *d'introduir* **unes preguntes semblants**). Tanmateix, és més habitual de fer la concordança entre el verb i l'esmentat element nominal: *S'hi* **haurien** *d'introduir* **unes preguntes semblants**. Això ve donat pel fet que aquesta construcció és sentida i usada com a passiva (com si diguéssim: *Unes preguntes semblants haurien de ser-hi introduïdes*) i, com a tal, l'esmentat element nominal és considerat subjecte passiu de l'oració.

Aquestes expressions, però, no les trobem solament en els manuals d'instruccions de màquines i aparells. La nostra vida social també està regulada per una sèrie de normes que molt sovint se'ns fan presents en cartells, anuncis i avisos com els següents:

> APARQUEU A UN PAM DE LA VORERA

> CONSERVEM NETA LA CIUTAT

En aquests dos exemples se'ns dóna instruccions relatives a la nostra convivència cívica. I, en tots dos, les instruccions vénen determinades per un verb en imperatiu. Però, aquestes mateixes instruccions, les podem expressar també usant les perífrasis d'obligació que acabem de veure.

Per exemple: *Aquí hi diu que* **cal aparcar** *a un pam de la vorera.*
Aquí hi diu que **s'ha d'aparcar** *a un pam de la vorera.*
Aquí hi diu que **hem d'aparacar** *a un pam de la vorera.*
Cal que aparquem *a un pam de la vorera.*

Cal conservar la ciutat neta.
S'ha de conservar *la ciutat neta.*
Hem de conservar *neta la ciutat.*
Cal que conservem *neta la ciutat.*

3. — Expresseu prohibicions en imperatiu negatiu, en la persona verbal indicada, i obligacions en imperatiu, o bé amb el verb **caldre** o la perífrasi **haver de**, segons s'indica.

PROHIBICIONS (imperatiu negatiu)

Ex.: (vosaltres) Llençar deixalles al carrer. *No llenceu deixalles al carrer*

1) (tu) Buidar els cendrers a la via pública
— ....

2) (vostè) Embrutar les parets.
— ....

3) (nosaltres) Treure les escombraries abans de les 8 del vespre.
— ....
....

4) (vosaltres) Escriure a les parets.
— ....

5) (vosaltres) Enganxar cartells a les parets.
— ....

6) (tu) Llençar puntes de cigarret.
— ....

OBLIGACIONS (imperatiu, Caldre + INF, haver de + INF)

Ex.: (caldre) Utilitzar les papereres. *Cal utilitzar les papereres*

7) (IMP, vos) Escombrar la vorera.
— ....

8) (haver de, nos) Netejar els solars.
— ....

9) (IMP, vos) Usar els contenidors.
— ....

10) (caldre) Travessar el carrer pel pas de vianants.
— ....
....

11) (haver de, tu) Respectar el silenci a la nit.
— ....

4. — Per practicar aquestes estructures fes els exercicis 1, 2 i 3 de la cassette.

1 Escolta el diàleg

> **—Això no sé com funciona.**
> ► **Cal que** *llegeixis les instruccions.*

Escolta i repeteix

Practica-ho: Fes la intervenció marcada substituint la frase que hi ha en cursiva per les que hi ha en el quadre següent. (Fixa't en la pronunciació de les lletres que hi ha en negreta.)

| LLEGIR les instruccions | → | AFEGIR-hi sal/TENYIR-lo/FREGIR-lo més/ RENYIR d'una vegada |

2 Escolta el diàleg

> **—Això no sé com funciona.**
> ► *Has de* **llegir les instruccions.**

Escolta i repeteix

Practica-ho: Fes la intervenció marcada substituint la part de la perífrasi que hi ha en cursiva per les del quadre. (Vigila perquè, en canviar la primera part de la perífrasi, queda afectat el verb que la segueix.)

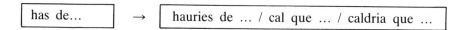

| has de... | → | hauries de ... / cal que ... / caldria que ... |

3 Escolta el diàleg

> **—Se li ha descolorit el vestit**
> ► *Ha de* **tenyir-***lo*
> *L'ha de* **tenyir**

(Fixa't que en aquestes perífrasis amb **HAVER DE** el pronom pot anar indistintament davant i darrere del verb.)

Escolta i repeteix

Practica-ho: Fes la segona intervenció substituint la part de perífrasi que hi ha en cursiva per les del quadre següent.

| ha de ... | → | cal ... / caldria ... / hauria de ... |

ARGUMENTACIONS I OBJECCIONS

En aquesta unitat didàctica també podem veure exemples de com dues persones argumenten a favor o en contra d'un projecte i com es posen objeccions mútuament.

Per això caldrà que escoltis el diàleg que tens a la cassette.

5. — DIÀLEG

En Miquel va a veure la Mireia Peius una experta en publicitat que dirigeix la campanya de promoció d'un ordinador. La Mireia vol que en Miquel faci els dibuixos de la campanya publicitària.

a) Escolta el diàleg i completa aquestes frases que diu la Mireia.

1 — .... que ens tractem de vostè, suposo.
2 — .... saber-ho. Jo no ho sé i és molt millor.
3 — .... la gent estimi aquesta màquina.
4 — Amb els teus dibuixos .... una imatge de calidesa, de sensualitat.
5 — .... despertar el desig del comprador.
6 — La nostra Multimaldecaps .... foc, ...
sexe.
7 — És això el que cal que .... als compradors.

b) Qui dóna cadascun d'aquests arguments?

1 — Per fer bé la campanya publicitària cal conèixer la utilitat de la màquina.
....
2 — Una bona campanya publicitària ha de fer que la gent estimi la màquina.
....

6 — a) A continuació escolta un fragment de conversa telefònica. Com que el telèfon no funciona gaire bé, hi ha unes expressions que no s'entenen. Intenta desxifrar les paraules que no se senten bé per completar l'explicació. En el text hi tens les paraules que se senten malament, però amb les lletres desordenades.

—Lovs rid? D'on ho has tret, això? Em sembla que aquesta informació no és gaire de fiar. Mira, la eum denteren, aquesta urbanització no es podrà fer mai, perquè no podrem aconseguir tots els permisos. Està situada en una zona on hi ha molts interessos i molt diversos. On és is m'oxiplec orup éb. Mmmmmm. Ah! Això pot canviar les coses, òper on raise llimor esperar que fossin ells qui donessin el primer pas? Equ ih sidu? Mmmmmmmmm. Ah, bé!, d'acord, doncs ja me'n diràs alguna cosa. Etosens?

b) En aquesta conversa heu sentit una persona que desaconsella a una altra la compra d'un terreny. Quin argument clar dóna en contra de la compra?

LÈXIC, EXPRESSIONS I FRASES FETES

Verbs

aparcar *aparcar*
buidar *vaciar*
caldre *ser necesario,*
       ser preciso
cal que *hay que*
col·locar *colocar*
concedir-se *concederse*
continuar *continuar*
detallar *detallar*
discutir *discutir*
embrutar *ensuciar*
enganxar *pegar*
escombrar *barrer*
inundar *inundar*
intentar *intentar*
instal·lar *instalar*
introduir *introducir*
llançar *lanzar*
netejar *limpiar*
oblidar *olvidar*
programar *programar*
retirar *retirar*

Substantius

campanya *f campaña*
cervell *m cerebro*
corba *f curva*
començament *m comienzo*
contenidor *m contenedor*
deixalla *f resto, sobras*
desig *m deseo*
deure *m deber*
dret *m derecho*
instruccions *f instrucciones*
llançament *m lanzamiento*
ordinador *m ordenador*
pam *m palmo*
paperera *f papelera*
pla *m plan*
ració *f ración*
recollida *f recogida*
robot *m robot*
solar *m solar*
suc *m zumo*
vorera *f acera*
vorada *f bordillo*

Adjectius

autoritari/-ària *autoritario*
burleta *burlón*
cordial *cordial*
indecís/-isa *indeciso*
raonable *razonable*
realista *realista*
segur/-a *seguro*

Expressions i frases fetes

De fet *De hecho*
Dia rere dia *Día tras día*
Tot just *Apenas*
Tot seguit *En seguida*
Entens el que vull dir? *¿Entiendes lo que quiero decir?*
Queda clar? *¿Queda claro?*
No sé si queda clar *No sé si queda claro*
No sé si m'explico prou bé *No sé si me explico*
Al meu entendre *A mi entender*
Des del meu punt de vista *Desde mi punto de vista*
Què et sembla? *¿Qué te parece?*
Entesos? *¿Vale?, ¿De acuerdo?*
Què en penses? *¿Qué opinas?*
Què hi dius? *¿Qué me dices?, ¿Qué te parece?*
Vols dir? *¿Estás seguro?*
Però no seria millor...? *¿Pero no sería mejor...?*
No es podria fer d'una altra manera? *¿No se podría hacer de otra manera?*
Però no creu...? *¿Pero no cree...?*
Però no li sembla...? *¿Pero no le parece...?*

EXERCICIS ESCRITS

A) **Completa les frases següents, utilitzant els verbs que et donem a continuació, amb les estructures** *cal +
infinitiu* **i** *s'ha de + infinitiu* *(introduir, produir, amanir, conduir, tenyir)*

Ex.		
Encara que no t'agradi el regal,	**cal agrair** **s'ha d'agrair**	*la intenció*
	cal agrair-lo	

1 — .... aquest producte al mercat sigui com sigui.
2 — .... amb més prudència pels carrers de la ciutat.
3 — Si volem vendre més, ... més i millor.
4 — Si vols que el vestit tingui el mateix color d'abans, ...
....
5 — Si voleu que la ceba quedi bona, ... una estona abans de servir-la.

B) Passa les frases anteriors a forma personal, tenint en compte els subjectes que et donem.

Ex.   Subjecte → TU

Encara que no t'agradi el regal,	**cal que agraeixis** **has d'agrair**	*la intenció*
	cal que l'agraeixis **has d'agrair-lo/l'has d'agrair**	

1 — Subjecte → JO
....
....
2 — Subjecte → VOSALTRES
....
....
3 — Subjecte → NOSALTRES
....
....
4 — Subjecte → TU
....
....
5 — Subjecte → VOSALTRES
....
....

EXERCICIS ESCRITS

C) **Completa les frases següents, utilitzant els verbs que et donem a continuació, amb les estructures** *caldria + infinitiu* **i** *s'hauria de + infinitiu* *(obeir, repartir, llegir, afegir, servir)*

Ex.

Encara que no t'agradi el regal,	caldria agrair s'hauria d'agrair	la intenció
	caldria agrair-lo	

1 — .... més instruccions a l'ordinador, perquè el programa no és complet.
2 — Per tenir els clients contents, ... els plats sense fer esperar gaire.
3 — Perquè n'hi hagi per a tothom, ... molt bé (aquest pastís).
4 — Per no equivocar-se, ... bé les instruccions.
5 — Si no voleu anar a la deriva, ... les ordres del capità.

D) **Passa les frases anteriors a forma personal, tenint en compte els subjectes que et donem.**

Ex. subjecte → TU

Encara que no t'agradi el regal,	caldria que agraïssis hauries d'agrair	la intenció
	caldria que l'agraïssis hauries d'agrair-lo/l'hauries d'agrair	

1 — Subjecte →JO
....
....

2 — Subjecte → TU
....

3 — Subjecte → ELLS
....

4 — Subjecte → NOSALTRES
....

5 — Subjecte → VOSALTRES
....
....

E) **Fes frases amb els elements que et donem a continuació, tenint en compte que cal ordenar-los, fer-los concordar i afegir-n'hi algun.**

1 — pa/tomàquet/oli/suca/!
....
2 — he oblidat/taronja/sucre/posar/suc
....
3 — ahir/cubell/vorera/embrutar/deixar/fora del/bosses d'escombraries
....
4 — en comptes de/paper/paperera/llançar/llençar/company/cap
....
5 — vorera/escombrar/aquest matí/deixalles/no recollir/però
....

SOLUCIÓ DELS EXERCICIS I TRANSCRIPCIÓ DELS DIÀLEGS

2. — Solució

— **Caldrà programar** *adequadament el seu "cervell"* ...
— *En primer lloc* **cal que planifiquem** *el que suposa preparar un esmorzar.*
— *... que mostri esquemàticament els passos que* **ha de fer** *el programa.*
— *Primer* **cal aconseguir** *que el robot s'engegui a les 8:* ...
— *Després* **ha de fer** *un suc de taronja* ...
— *Tot seguit* **cal que prepari** *un entrepà* ...
— *Després* **ha de preparar** *un bon cafè amb llet* ...
— *Finalment* **ha de tornar** *al començament* ...
— **Cal afegir-hi** *unes mesures* ...
— **Cal introduir-hi** *una pregunta:* ...
— *També* **caldrà introduir-hi** *una pregunta semblant* ...
— *Per això* **caldrà introduir-hi** *unes altres preguntes:* ...
— *També* **caldrà detallar-li** *com ha de parar la taula,* ...
— *...* **caldrà programar-lo** *perquè ens avisi* ...

3. — Solució

1) *No buidis els cendrers a la via pública.*
2) *No embruti les parets.*
3) *No traguem les escombraries abans de les vuit del vespre.*
4) *No escrigueu a les parets.*
5) *No enganxeu cartells a les parets.*
6) *No llencis puntes de cigarret.*
7) *Escombreu la vorera.*
8) *Hem de netejar els solars.*
9) *Useu els contenidors.*
10) *Cal travessar el carrer pel pas de vianants.*
11) *Has de respectar el silenci a la nit.*

5. — DIÀLEG

Transcripció

MIREIA: Miquel Miquel, oi? Encantada. Passa. No cal que ens tractem de vostè, suposo. Seu i posa't còmode.

MIQUEL: Ets la Mireia Peius?

MIREIA: Sí, i dirigeixo la campanya publicitària de l'ordinador Multimaldecaps. Els teus dibuixos ens agraden. Entens el que vull dir?

MIQUEL: Que us agraden.

MIREIA: No solament això, sinó també, i sobretot, que treballaràs amb nosaltres. Al meu entendre, treballaràs amb l'agència publicitària més important de Barcelona. Queda clar, ara?

MIQUEL: Em penso que sí.

MIREIA: Per molts anys.

MIQUEL: Gràcies.

MIREIA: Anem per feina. Mira aquesta foto. És l'ordinador Multimaldecaps. Què et sembla?

MIQUEL: No ho sé. Per a què serveix?

MIREIA: No cal saber-ho. Jo no ho sé i és molt millor.

MIQUEL: Vol dir?

MIREIA: Tracta'm de tu, sisplau.

MIQUEL: Vols dir? Si s'ha de fer una campanya publicitària sobre aquestes màquines, tu no creus que n'hauríem de conèixer la utilitat?

MIREIA: No, a mi em sembla que no. Decididament, no. Oblida velles idees preconcebudes. Què ens interessa a nosaltres? Cal que la gent estimi aquesta màquina. Tu estimes una dona perquè la coneixes? No, l'estimes perquè l'estimes. No sé si queda clar.

MIQUEL: Molt, molt clar.

MIREIA: Amb els teus dibuixos cal que donis una imatge de calidesa, de sensualitat. Cal despertar el desig del comprador, que la màquina sigui com la seva amant. No ho sé, no sé si m'explico prou bé.

MIQUEL: Però només és una màquina de metall i, per tant, francament, no pot encendre la sang com ho fa una senyora.

MIREIA: T'equivoques. La nostra Multimaldecaps ha de ser de foc, ha de ser sexe. Si no la vols fer teva, ja no ets un home.

MIQUEL: Dona...!

MIREIA: És això el que cal que facis sentir als compradors. Entesos?

MIQUEL: Però no seria millor que...

MIREIA: I si tens algun dubte, retira't del projecte.

MIQUEL: A veure. Pel que fa als honoraris... Serien els que van dir-me?

MIREIA: Sí.

MIQUEL: És un ordinador molt bonic. Deixa que me'l miri. Una màquina preciosa. Aquestes corbes..., aquestes corbes són... són... francament excitants.

MIREIA: Has entès el que vull dir.

a) **Solució**

1 — *No cal ...*
2 — *No cal ...*
3 — *Cal que ...*
4 — *cal que donis ...*
5 — *Cal ...*
6 — *ha de ser ..., ha de ser ...*
7 — *facis sentir ...*

b) **Solució**

1 — Miquel
2 — Mireia

6. — a) **Transcripció i solució**

Vols dir? D'on ho has tret, això? Em sembla que aquesta informació no és gaire de fiar. Mira, *al meu entendre*, aquesta urbanització no es podrà fer mai, perquè no podrem aconseguir tots els permisos. Està situada en una zona on hi ha molts interessos i molt diversos. *No sé si m'explico prou bé*. Mmmmmmm. Ah! Això pot canviar les coses, *però no seria millor* esperar que fossin ells qui donessin el primer pas? *Què hi dius?* Mmmmmmmmmm. Ah, bé!, d'acord, doncs ja me'n diràs alguna cosa. *Entesos?*

b) **Solució**

Que no podran aconseguir mai els permisos perquè està situada en una zona on hi ha molts interessos i molt diversos.

SOLUCIÓ DELS EXERCICIS ESCRITS

A) **Completa les frases següents, utilitzant els verbs que et donem a continuació, amb les estructures** *cal* + *infinitiu* **i** *s'ha de* + *infinitiu* *(introduir, produir, amanir, conduir, tenyir)*

Ex.	*Encara que no t'agradi el regal,*	**cal agrair** **s'ha d'agrair**	*la intenció*
		cal agrair-lo	

1 — *Cal / S'ha d'introduir* aquest producte al mercat sigui com sigui.
2 — *Cal / S'ha de conduir* amb més prudència pels carrers de la ciutat.
3 — Si volem vendre més, *cal / s'ha de produir* més i millor.
4 — Si vols que el vestit tingui el mateix color d'abans, *cal tenyir-lo / s'ha de tenyir.*
5 — Si voleu que la ceba quedi bona *cal amanir-la / s'ha d'amanir* una estona abans de servir-la.

B) **Passa les frases anteriors a forma personal, tenint en compte els subjectes que et donem.**

Ex.   Subjecte → TU

Encara que no t'agradi el regal,	**cal que agraeixis** **has d'agrair**	*la intenció*
	cal que l'agraeixis **has d'agrair-lo/l'has d'agrair**	

1 — Subjecte → JO
   Cal que introdueixi aquest producte al mercat, sigui com sigui/
   He d'introduir aquest producte al mercat, sigui com sigui
2 — Subjecte → VOSALTRES
   Cal que conduïu amb més prudència pels carrers de la ciutat/
   Heu de conduir amb més prudència pels carrers de la ciutat.
3 — Subjecte → NOSALTRES
   Si volem vendre més, cal que produïm més i millor/
   Si volem vendre més, hem de produir més i millor.
4 — Subjecte → TU
   Si vols que el vestit tingui el mateix color d'abans, cal que el tenyeixis/
   Si vols que el vestit tingui el mateix color d'abans, l'has de tenyir / has de tenyir-lo.
5 — Subjecte → VOSALTRES
   Si voleu que la ceba quedi bona, cal que l'amaniu una estona abans de servir-la/
   Si voleu que la ceba quedi bona, l'heu d'amanir / heu d'amanir-la abans de servir-la.

C) **Completa les frases següents, utilitzant els verbs que et donem a continuació, amb les estructures** *caldria* + *infinitiu* **i** *s'hauria de* + *infinitiu* *(obeir, repartir, llegir, afegir, servir)*

Ex.	*Encara que no t'agradi el regal,*	**caldria agrair** **s'hauria d'agrair**	*la intenció*
		caldria agrair-lo	

1 — *Caldria / S'haurien d'afegir* més instruccions a l'ordinador perquè el programa no és complet.
2 — Per tenir els clients contents *caldria / s'haurien de servir* els plats sense fer esperar gaire.
3 — Perquè n'hi hagi per a tothom, *caldria repartir-lo / s'hauria de repartir* molt bé (aquest pastís).
4 — Per no equivocar-se, *caldria / s'haurien de llegir* bé les instruccions.
5 — Si no voleu anar a la deriva, *caldria / s'haurien d'obeir* les ordres del capità.

D) Passa les frases anteriors a forma personal, tenint en compte els subjectes que et donem.

Ex. Subjecte → TU

Encara que no t'agradi el regal,	**caldria que agraïssis** **hauries d'agrair**	*la intenció*
	caldria que l'agraïssis **hauries d'agrair-lo/l'hauries d'agrair**	

1 — Subjecte → JO
Caldria que afegís més instruccions a l'ordinador perquè el programa no és complet.
Hauria d'afegir més instruccions a l'ordinador perquè el programa no és complet.
2 — Subjecte → TU
Per tenir els clients contents caldria que servissis els plats sense fer esperar gaire.
Per tenir els clients contents hauries de servir els plats sense fer esperar gaire.
3 — Subjecte → ELLS
Perquè n'hi hagi per a tothom caldria que el repartissin molt bé.
Perquè n'hi hagi per a tothom haurien de repartir-lo / l'haurien de repartir molt bé.
4 — Subjecte → NOSALTRES
Per no equivocar-nos caldria que llegíssim bé les instruccions.
Per no equivocar-nos hauríem de llegir bé les instruccions.
5 — Subjecte → VOSALTRES
Si no voleu anar a la deriva, caldria que obeíssiu les ordres del capità.
Si no voleu anar a la deriva hauríeu d'obeir les ordres del capità.

E) Amb els elements que et donem a continuació, fes frases, tenint en compte que cal ordenar-los, fer-los concordar i afegir-n'hi algun.

1 — pa/tomàquet/oli/suca.../ !
Suca el pa amb tomàquet i oli!
2 — he oblidat/taronja/sucre/posar/suc
He oblidat (de) posar sucre al suc de taronja.
3 — ahir/cubell/vorera/embrutar/deixar/fora del/bosses d'escombraries
Ahir va/ ... deixar les bosses d'escombraries fora del cubell i va/ ... embrutar la vorera.
4 — en comptes de/paper/paperera/llançar/llençar/company/cap
En comptes de llençar el paper a la paperera, el va llançar al cap d'un company.
5 — vorera/escombrar/aquest matí/deixalles/no recollir/però
Aquest matí ha/ ... escombrat la vorera, però no ha/ ... recollit les deixalles.

/ ... = *qualsevol altra persona verbal.*

PUNTS DE VISTA
Arguments a favor i en contra

Objectius comunicatius

L'objectiu d'aquesta unitat didàctica és aprendre a:

— Argumentar. Donar arguments a favor o en contra sobre un tema polèmic. Mostrar acord o desacord amb un argument o amb una opinió. Rebatre un argument.
— Contradir o negar una afirmació.
— Matisar i precisar una afirmació.
— Parlar sobre els avantatges i els inconvenients d'una activitat determinada.

---

1. — DIÀLEG

L'Ajuntament i l'associació de veïns no es posen d'acord sobre el destí d'un solar on abans hi havia una fàbrica. En un programa de TV entrevisten l'arquitecte municipal i un representant de l'associació de veïns.

Escolta el diàleg i ...

a) **Respon les preguntes següents:**

—En què consisteix el projecte de l'Ajuntament?
....
—Què vol l'associació de veïns?
....

b) **Escriu a dins de cada quadre quin dels dos personatges (A o B) diu o podria dir cada una d'aquestes frases segons el que has sentit:**

1. — ☐ Nosaltres voldríem que, en aquest solar, s'hi fes una zona industrial.
2. — ☐ No estic gens convençut que hi falti una zona verda, en aquest barri.
3. — ☐ Jo crec que aquí s'hi ha de fer una zona verda.
4. — ☐ El manteniment de les zones verdes suposa un increment de les taxes municipals.
5. — ☐ No és veritat que, en aquest barri, hi facin falta zones verdes.
6. — ☐ Les fàbriques s'han de construir fora de les ciutats.
7. — ☐ A molts països europeus es construeixen refugis antiatòmics per a molta gent.
8. — ☐ És mentida que un refugi antinuclear sigui útil.
9. — ☐ Si hi ha una guerra nuclear no val la pena de sobreviure.

A: Sr. Padebarra
B: Sr. Margalef

Fixa't que els dos personatges entrevistats, per rebatre els arguments del seu interlocutor utilitzen les formes següents:

> — **No és veritat que ...**
> — **És mentida que ...**
> — **No estic gens convençut que ...**

Darrere d'aquestes formes, els personatges han hagut d'usar un verb en present de subjuntiu:

> — *No és veritat que hi* **facin** *falta zones verdes.*
> — *És mentida que* **sigui** *útil.*
> — *No estic gens convençut que hi* **faci** *falta una fàbrica, en aquest barri.*

Podríem representar aquestes construccions en el quadre següent:

ÉS	MENTIDA *FALS*	*QUE + SUBJ pres*	— **És mentida que** *no hi* **facin** *falta zones verdes*
NO ÉS	VERITAT CERT	QUE + SUBJ pres	— **No és veritat que** *hi* **facin** *falta zones*

NO ESTIC	GENS GAIRE	SEGUR CONVENÇUT	QUE + SUBJ pres	**No estic gens segur que** *les centrals nuclears* **siguin** *tan perilloses com es diu.*

2 📼 2. — PRÀCTICA D'ESTRUCTURES

Escolta aquest diàleg

—**En aquest poble hi ha moltes escoles.**
▶ **No és cert que** *en aquest poble hi hagi moltes escoles.*

Escolta i repeteix el diàleg anterior.

Practica-ho: acaba de completar aquests diàlegs, segons el model que acabes de sentir.

—En aquest barri hi ha prou serveis assistencials.
▶ No és cert que ....
—L'Ajuntament atén malament el públic.
▶ No és veritat que ....
—Aquest local no té els permisos necessaris.
▶ No es veritat que ....
—En aquest país no es lleixen llibres.
▶ És mentida que ....
—En aquest país no es protegeix l'esport.
▶ És fals que ....

Ara bé, s'ha de tenir present que si la negació afecta una acció passada caldrà utilitzar el temps de passat de subjuntiu, així per exemple per negar l'afirmació *l'Ajuntament* **ha invertit** *molts diners en aquest projecte* → *No és veritat que l'Ajuntament* **hagi invertit** *molts diners en aquest projecte; l'Ajuntament* **va invertir** *molts diners en aquest projecte* → *No és veritat que l'Ajuntament* **invertís** *molts diners en aquest projecte; L'Ajuntament* **havia invertit** *molts diners en aquest projecte* → *No és veritat que l'Ajuntament* **hagués invertit** *molts diners en aquest projecte.*

Les formes compostes del subjuntiu són les següents:

Subjuntiu perfet

hagi hagis hagi hàgim hàgiu hagin	+ PART

Subjuntiu plusquamperfet

hagués haguessis hagués haguéssim haguéssiu haguessin	+ PART

3. — PRÀCTICA D'ESTRUCTURES

Escolta aquest diàleg.

— **Hem invertit molts diners en aquest projecte.**
▶ **No és veritat que** *hàgim invertit molts diners en aquest projecte.*

Escolta i repeteix el diàleg anterior.

Practica-ho: acaba de completar aquests diàlegs, segons el model que acabes de sentir.

— Hem col·laborat amb l'associació.
▶ No és veritat que ....
— L'Ajuntament ha subvencionat aquesta publicació.
▶ No és cert que ....
— Vosaltres heu manipulat l'assemblea.
▶ És fals que ....
— L'empresa ha sancionat alguns empleats.
▶ No és cert que ....
— S'han apujat les tarifes del transport públic.
▶ No és veritat ....

4. — **Aquí tens cinc persones que expliquen els seus punts de vista sobre les centrals nuclears. Completa el que diuen amb les frases dels requadres que hi vagin bé.**

És fals que les centrals nuclears tinguin conseqüències biològiques irreversibles...

No estic gens segura que les centrals nuclears siguin tan perilloses com es diu...

Jo no estic gens convençuda que una central nuclear sigui el que convingui més...

Jo penso que s'han de destriar dues coses ben diferents...

No crec que la construcció de les centrals nuclears solucioni el problema de l'atur...

... Això no vol dir que no s'hagin d'extremar les mesures de seguretat.

... I també és fals que els treballadors corrin un risc més gran que en altres empreses.

... A més a més, hi ha altres alternatives més viables: l'aigua, el vent, el sol...

... Encara que es construeixi una central nuclear, hi continuarà havent gent sense feina.

... Una cosa és que facin falta llocs de treball i una altra que les centrals nuclears siguin la solució d'aquest problema.

Fixa't en aquestes expressions:

això no vol dir que ...
i també ...
a més a més ...
encara que ...
una cosa és que ... i una altra que ...

Aquestes paraules s'usen per expressar una determinada relació entre el que es diu en la proposició, en la frase en la qual figuren, i el que s'ha dit en la frase precedent.

5. — **Llegeix aquesta conversa entre els escriptors Joan Oliver i Pere Calders, en la qual aquests escriptors parlen dels avantatges i inconvenients de viure en una gran ciutat i contesta les preguntes que trobaràs a la pàgina següent. Fixa't en el vocabulari que hi ha en el requadre de la pàgina següent, el qual et servirà per fer-ne una lectura més entenedora.**

Pere Calders. He viscut sempre en grans ciutats i quan va ser el moment de retornar a Catalunya, dèiem amb la meva dona que aniríem a viure a un poble. Res de grans ciutats. Però després d'uns anys de residir a Sant Cugat, vam tenir ganes de tornar a viure a la gran ciutat. Jo, en principi, en una ciutat, m'hi sento bé. Ara bé, és evident que a mesura que les ciutats es van engrandint, es tornen més desagradables i incòmodes. De tota manera, continuen tenint els seus avantatges, si te les estimes. A Barcelona em passa que, a desgrat de tots els inconvenients que té com qualsevol altra gran ciutat, me l'estimo. Només en puc parlar bé. No me'n mouria. Una vegada em van fer aquell famós qüestionari Proust, quan encara no residia a ciutat. A la pregunta d'on m'agradaria viure, vaig contestar: "A Barcelona, però no hi trobo pis". Era realment així, i de seguida que vaig trobar-ne em vaig traslladar a Barcelona.

Joan Oliver. Jo, en retornar de l'exili, el meu desig també era de viure en un poble. Però em vaig adonar que ja em trobava pres de la vida de la ciutat: físicament visc més bé a Barcelona que no pas a un poble, perquè no sóc un rendista. D'altra banda, la feina l'he tinguda aquests darrers 35 anys a Barcelona. En un poble no podria viure de la ploma. Tot plegat no treu que pensi que Barcelona és un gran nyap, sobretot d'ençà del seu creixement desbordat, i que també és molt bruta.

Pere Calders. Això és un fenomen general. Les grans ciutats es veuen desbordades en les seves capacitats de serveis. La ciutat on jo he vist més brutícia i més misèria del món és en alguns barris de Nova York, amb rates als carrers a ple dia, escombraries escampades, gent estesa a terra sense que ningú se'ls miri...

Joan Oliver. És inhumana una ciutat tan gran, perquè ens trobem sols enmig de l'enorme multitud. La soledat dins de les multituds és terrible. Jo visc a un edifici de cinquanta-quatre apartaments i només en conec cinc veïns, que ara són bons amics.

Pere Calders. Això és propi d'aquest segle, no passava al segle passat.

(Extret de: Joan Oliver / Pere Calders, *Diàlegs a Barcelona*, ed. Laia / Ajuntament de Barcelona. Barcelona, 1984)

retornar *regresar*	a mesura que *a medida que*
engrandint *agrandando*	a desgrat de *a pesar de*
desig *m deseo*	adonar-se *darse cuenta*
rendista *m rentista*	tot plegat no treu que ...
nyap *m pifia*	*esto no impide que ...*
brutícia *f suciedad*	d'ençà de *desde*
escampades *adj esparcidas*	estesa *adj tendida*

a) Després de viure uns quants anys a Sant Cugat, què van decidir fer Pere Calders i la seva dona?

....

b) Segons Pere Calders, a mesura que les ciutats es van engrandint, com es tornen?

....

c) Què és el que va fer decidir Joan Oliver de quedar-se a viure a Barcelona? Tot i així, com la troba?

....

LÈXIC, EXPRESSIONS I FRASES FETES

Substantius

atur *m paro*
fàbrica *f fábrica*
central nuclear *f central nuclear*
ciutat *f ciudad*
construcció *f construcción*
despesa *f gasto*
poble *m pueblo*
refugi *m* (antinuclear) *refugio (antinuclear)*
zona *f zona*

Verbs

convenir *convenir*
construir *construir*
solucionar *solucionar*
fer falta *hacer falta*

Locucions

a més (a més) *además*
també *también*
tampoc (no) *tampoco*
encara que *aunque*

174

EXERCICIS ESCRITS

A) Totes aquestes afirmacions són falses. Rectifica els errors. Fes com en l'exemple:

Ex.: *Thomas Edison va descobrir la penicil·lina.*

És fals que Thomas Edison descobrís la penicil·lina.
Thomas Edison va inventar la bombeta.

1 — Copenhague és la capital de Suècia.
— ....
   ....

2 — L'Atlàntic és l'oceà més gran del món.
— ....
   ....

3 — L'any 1960 l'home va conquistar la lluna.
— ....
   ....

4 — La segona guerra mundial va començar l'any 1942.
— ....
   ....

5 — Robert Koch descobrí el virus de la verola.
— ....
   ....

6 — Josep Tarradellas ha sigut el primer president de la Generalitat de Catalunya, d'aquest segle.
— ....
   ....

L'oceà més gran del món és el Pacífic.

A l'abril de 1931 Francesc Macià fou proclamat president del Govern Provisional de la Generalitat.

L'any 1969 l'home trepitja per primera vegada la lluna.

Estocolm és la capital de Suècia.

Robert Koch l'any 1882 descobrí el bacil de la tuberculosi.

La segona guerra mundial tingué lloc del 1939 al 1945.

Edison és l'inventor de la bombeta.

B) **Completa les frases que indiquen dubte respecte a les afirmacions següents:**

Ex.: —*Crec que les centrals nuclears serveixen per fer disminuir l'atur.*
—*No crec que* **les centrals nuclears serveixin per fer disminuir l'atur.**

1 — L'Ajuntament augmentarà el nombre d'escoles en aquest barri.
No estic gens segur que ....
....

2 — Em penso que l'associació de veïns vol una fàbrica al mig del barri.
Dubto que ....

3 — Ja veuràs com el teu germà es presentarà a les eleccions municipals.
No crec que ....

4 — L'any que ve augmentaran la plantilla de treballadors.
No estic gens segur que ....

5 — Segurament hi haurà vaga d'autobusos.
No crec que ....

C) **Completa les frases següents posant en present de subjuntiu els verbs que hi ha entre parèntesis.**

1 — Encara que .... (construir-se) una fàbrica, no se solucionarà el problema.

2 — Encara que m'............ (oferir, ells) un altre càrrec, no l'acceptaré.

3 — Una cosa és que .... (conèixer, ell) el problema i una altra que el .... (voler, ell) resoldre.

4 — Encara que hi .... (edificar, ells) un ambulatori els veïns no estaran contents.

5 — Una cosa és que .... (parlar, ell) pels descosits i una altra que .... (posar, ell) en pràctica el que diu.

SOLUCIÓ DELS EXERCICIS I TRANSCRIPCIÓ DELS DIÀLEGS

1. — DIÀLEG

Transcripció

PERIODISTA: Bon dia a tothom. Davant dels nostres micròfons tenim el Sr. Padebarra, representant de l'associació de veïns del barri, i el Sr. Margalef, arquitecte i autor del projecte municipal. Vegem quina és la seva opinió respecte a aquest projecte tan polèmic. Sr. Padebarra, aquest solar és, segons el projecte municipal, la futura plaça Fènix Català. Però el projecte no ha estat, segons sembla, gaire ben rebut pels representants del barri. Què és el que proposa l'associació de veïns?

PADEBARRA: Nosaltres voldríem que, en aquest solar, s'hi fes una zona industrial i no aquesta mena de combinació d'espai verd i refugi antiatòmic.

PERIODISTA: Però, no creu que fan falta zones verdes? ¿I per què no un refugi, ara que es parla tant d'una imminent guerra nuclear?

PADEBARRA: No és veritat que hi facin falta zones verdes. A més, l'Ajuntament no pot estar hipotecat tota la vida amb el manteniment de zones verdes que, com molt bé sap vostè, també repercuteixen en un augment de les taxes municipals.

PERIODISTA: Així vostès no hi estan d'acord, en aquest projecte?

PADEBARRA: De cap de les maneres. Torno a repetir que és fals que facin falta zones verdes al barri, i el que volem nosaltres és una altra fàbrica, perquè així hi haurà més treball i no s'hauria d'emigrar del barri, perquè això ja comença a passar.

PERIODISTA: I del refugi antiatòmic, què en diu? No creu que pot ser útil en els temps actuals?

PADEBARRA: És mentida que sigui útil. Perquè, a veure..., vostè creu que valdrà la pena viure després d'una guerra nuclear? Valdrà més morir-se, dona! I a més, això de fer refugis antinuclears comporta unes despeses que es poden ben estalviar o fer-les en altres coses més necessàries.

PERIODISTA: Moltes gràcies, Sr. Padebarra, per les seves paraules. Senyor Margalef, vostè què en diu, de tot això?

MARGALEF: Bé, sí. No estic gens convençut que hi faci falta una fàbrica, en aquest barri. Això no vol dir que no entengui el desig de veure creats nous llocs de treball expressat pel senyor Padebarra. Ara, una cosa és que es creïn llocs de treball en un lloc on es pugui fer una fàbrica i una altra que es sacrifiquin espais com aquest en una ciutat tan atapeïda i com la nostra. Les fàbriques s'han de construir fora de les ciutats.
Jo crec que aquí s'hi ha de fer un espai verd.

PERIODISTA: Estadísticament parlant, està comprovada aquesta mancança de zones verdes a Barcelona?

MARGALEF: Oh, i tant! El percentatge de zones verdes és molt baix en comparació a les mitjanes europees.

PERIODISTA: I per què també un refugi antiatòmic?

MARGALEF: Aquí això de fer un refugi antiatòmic ha suposat una polèmica de mil dimonis quan, per exemple, a Suïssa hi ha refugis antiatòmics gairebé per a 6 milions de persones i no solament civils, com seria el nostre cas, sinó que cada bloc de pisos té el seu refugi. I aquí, amb la poca visió de futur que tenim, no hem fet res de res ... Si els suïssos, alemanys, noruecs, ... en tenen, per què no nosaltres? I ara tenim una oportunitat molt bona, no creu? A més no crec que no serveixin per a res, tal com pensa el Sr. Padebarra; si es fa un refugi antiatòmic, es fa amb les condicions necessàries perquè sigui un lloc on la gent hi pugui viure o subsistir. Jo, particularment, m'estimaria més sobreviure a una guerra nuclear que no pas morir-me.

PERIODISTA: Moltes gràcies, senyor Margalef, per les seves paraules. Bé, això ha estat tot per avui. Us esperem demà a les dues en punt. Fins demà.

Solució

a) — L'Ajuntament vol fer una plaça, la Plaça Fènix Català, que sigui, al mateix temps, una zona verda i un refugi antiatòmic.
— Que, en el solar, s'hi faci una zona industrial.

b) 1 - A   5 - A   9 - A
   2 - A   6 - B
   3 - B   7 - B
   4 - A   8 - A

4. — Solució

És fals que les centrals nuclears tinguin conseqüències biològiques irreversibles.
I també és fals que els treballadors corrin un risc més gran que en altres empreses.

No estic gens segura que les centrals nuclears siguin tan perilloses com es diu.
Això no vol dir que no s'hagin d'extremar les mesures de seguretat.

Jo no estic gens convençuda que una central nuclear sigui el que convingui més.
A més a més, hi ha altres alternatives més viables: l'aigua, el vent, el sol …

Jo penso que s'han de destriar dues coses ben diferents. *Una cosa és que facin falta llocs de treball i una altra que les centrals nuclears siguin la solució d'aquest problema.*

No crec que la construcció de les centrals nuclears solucioni el problema de l'atur.
Encara que es construeixi una central nuclear, hi continuarà havent gent sense feina.

5. — Solució

a) Tornar a Barcelona.
b) Es tornen més desagradables i incòmodes.
c) Físicament viu més bé a Barcelona que no pas en un poble. A més a més, la feina, l'ha tinguda, aquests darrers 35 anys, a Barcelona. En un poble no podria viure de la ploma. Tot i així, pensa que Barcelona és un gran nyap, sobretot d'ençà del seu creixement desbordat, i que també és molt bruta.

SOLUCIÓ DELS EXERCICIS ESCRITS

A) **Totes aquestes afirmacions són falses. Rectifica els errors. Fes com en l'exemple:**

Ex.: *Thomas Edison va descobrir la penicil·lina.*

És fals que Thomas Edison descobrís la penicil·lina.
Thomas Edison va inventar la bombeta.

1 — Copenhague és la capital de Suècia.
— *És fals que Copenhague sigui la capital de Suècia. Estocolm és la capital de Suècia.*

2 — L'Atlàntic és l'oceà més gran del món.
— *És fals que l'Atlàntic sigui l'oceà més gran del món. L'oceà més gran del món és el Pacífic.*

3 — L'any 1960 l'home va conquistar la lluna.
— *És fals que l'any 1960 l'home conquistés la lluna. L'home va trepitjar per primera vegada la lluna l'any 1969.*

4 — La segona guerra mundial va començar l'any 1942.
— *És fals que la segona guerra mundial comencés l'any 1942. La segona guerra mundial va començar l'any 1939.*

5 — Robert Koch descobrí el virus de la verola.
— *És fals que Robert Koch descobrís el virus de la verola. Robert Koch va descobrir el bacil de la tuberculosi.*

6 — Josep Tarradellas ha sigut el primer president de la Generalitat de Catalunya d'aquest segle.
— *És fals que Josep Tarradellas hagi sigut el primer president de la Generalitat d'aquest segle. El primer president de la Generalitat d'aquest segle va ser Francesc Macià.*

B) **Completa les frases que indiquen dubte respecte a les afirmacions següents:**

Ex.: *Crec que les centrals nuclears serveixen per fer disminuir l'atur.*
No crec que **les centrals nuclears serveixin per fer disminuir l'atur.**

1 — —L'Ajuntament augmentarà el nombre d'escoles en aquest barri.
—No estic gens segur que *l'Ajuntament augmenti el nombre d'escoles en aquest barri.*

2 — —Em penso que l'associació de veïns vol una fàbrica al mig del barri.
—Dubto que *l'associació de veïns vulgui una fàbrica al mig del barri.*

3 — —Ja veuràs com el teu germà es presentarà a les eleccions municipals.
—No crec que *el teu germà es presenti a les eleccions municipals.*

4 — —L'any que ve augmentaran la plantilla de treballadors.
—No estic gens segur que *l'any que ve augmentin la plantilla de treballadors.*

5 — Segurament hi haurà vaga d'autobusos.
—No crec que *hi hagi vaga d'autobusos.*

C) **Completa les frases següents posant en present de subjuntiu els verbs que hi entre parèntesis.**

1 — Encara que *es construeixi* (construir-se) una fàbrica, no se solucionarà el problema.

2 — Encara que m'*ofereixin* (oferir, ells) un altre càrrec, no l'acceptaré.

3 — Una cosa és que *conegui* (conèixer, ell) el problema i una altra que el *vulgui* (voler, ell) resoldre.

4 — Encara que hi *edifiquin* (edificar, ells) un ambulatori, els veïns no estaran contents.

5 — Una cosa és que *parli* (parlar, ell) pels descosits i una altra que *posi* (posar, ell) en pràctica el que diu.

SUMARI